A. Payet - I. Rubio - E. F. Ruiz

Crédits photographiques

De gauche à droite et de haut en bas :

P. 6 : FuzzBones/Shutterstock ; UMB-O/fotolia ; Werner Heiber /Shutterstock ; MANDY GODBEHEAR /Shutterstock ; Savvapanf Photo /Shutterstock – **P. 7 :** H.Peter/fotolia – pixarno/fotolia - Joshua Resnick/fotolia - Brad Pict/fotolia - Ekaterina Pokrovsky/fotolia - Art Konovalov /Shutterstock - Brent Hofacker/fotolia - rdnzl/fotolia - kozirsky/fotolia - snvv/fotolia - PackShot/fotolia – **P. 8 :** Patryssia/fotolia - olgavolodina/fotolia - Felix Mizioznikov/fotolia - WoGi/fotolia ; Miriam Dörr – fotolia – **P. 9 :** Scriblr/fotolia ; T. Michel/fotolia ; Arcady/fotolia ; Arcady- fotolia; Scriblr/fotolia ; darkbird/fotolia (x3) ; Photographee.eu/fotolia ; Monkey Business/fotolia ; Tyler Olson/fotolia ; michaeljung/fotolia – **P. 11 :** illionPhotos.com/fotolia ; .shock/fotolia ; Kristy Sparow/GettyImages ; Collection Christophel ; Minerva Studio/fotolia – **P. 12 :** mtrommer/fotolia (drapeaux) ; KavalenkavaVolha/fotolia ; Tony Barson Archive/GettyImages ; Kenjiro Matsuo/AFLO/Nippon News/Corbis ; Helga Esteb/Shutterstock ; Click Images/fotolia ; JStone/Shutterstock ; Stephane Cardinale/People Avenue/Corbis ; Jimmie48 Photography/Shutterstock ; Sofia Iartseva /Shutterstock ; Stephane Cardinale/People Avenue/Corbis ; Maxisport /Shutterstock ; DiversityStudio/fotolia ; Masson/fotolia ; Frederic Legrand ; COMEO/Shutterstock ; catwalker/Shutterstock ; Jaguar PS /Shutterstock ; sunnysky69/fotolia ; Leonard Zhukovsky/Shutterstock ; Stephane Cardinale/People Avenue/Corbis ; Eric Fougere/VIP Images/Corbis – **P. 13 :** Photographee.eu/fotolia ; Ekaterina Pokrovsky/fotolia ; Andrey Gribov/fotolia ; djoronimo/fotolia ; Jean Marie Leroy/Corbis – **P. 14 :** WavebreakMediaMicro/fotolia ; BlueIz60/Shutterstock ; Ysbrand Cosijn/Shutterstock ; Nicescene/Shutterstock ; APavlov/Shutterstock ; Christian Schwier/fotolia – **P. 15 :** DigiClack/fotolia ; Rawpixel/fotolia ; Ocskay Bence/fotolia ; AntonioDiaz/fotolia – **P. 16 :** Syda Productions/fotolia ; JPC-PROD/fotolia ; wrangler/Shutterstock – **P. 17 :** Strezhnev Pavel/fotolia (drapeaux) ; Jaguar PS/Shutterstock ; Featureflash/Shutterstock ; Leonard Zhukovsky/Shutterstock ; Tinseltown/Shutterstock – **P. 18 :** arvzdix/Shutterstock ; Natursports/Shutterstock ; LAURENT GILLIERON/epa/Corbis ; Stephane Cardinale/Corbis ; skarin/fotolia ; fidelio/fotolia – **P. 19 :** ivan bastien/Shutterstock ; denys_kuvaiev/fotolia ; Gail Palethorpe/Shutterstock ; Monkey Business/fotolia ; studiogriffon.com/fotolia ; littleny/ Shutterstock ; KavalenkavaVolha/fotolia ; Ekaterina Pokrovsky/Shutterstock ; kessudap/Shutterstock – **P. 20 :** ilynx_v/fotolia ; vouvraysan/fotolia ; farbkombinat/fotolia – **P. 21 :** Collection Christophel (x2) ; Emka74/Shutterstock ; CTR Photos/Shutterstock ; catwalker/shutterstock – **P. 22 :** Drivepix/fotolia ; Jipé/fotolia – **P. 23 :** MNStudio/fotolia ; Ingo Bartussek/fotolia ; auremar/fotolia ; BillionPhotos.com/fotolia – **P. 24 :** vadymvdrobot/fotolia ; M.studio/fotolia ; vvoe/fotolia ; Thomas Pajot/fotolia – **P. 25 :** datography/fotolia ; Africa Studio/Shutterstock – **P. 26 :** martin951/fotolia ; atScene/fotolia ; Scriblr/fotolia ; pandavector/fotolia ; icedea/fotolia ; Simone van den Berg/fotolia – **P. 27 :** The Walt Disney Co France/Coll. Christophel – **P. 29 :** sinemaslow – fotolia – **P. 30 :** yanlev/fotolia ; nito/fotolia; Christophe Fouquin/fotolia ; Agence DER/fotolia ; seanlockephotography/fotolia ; artem_ka/fotolia ; BillionPhotos.com/fotolia – **P. 31 :** Agence DER/fotolia ; Sergey Novikov/fotolia ; DDRockstar/fotolia ; gpointstudio/fotolia – **P. 32 :** M.studio/fotolia ; Piotr Marcinski/fotolia ; petert2/fotolia ; donnacoleman/fotolia – **P. 33 :** Africa Studio/fotolia ; milkovasa/fotolia ; Subbotina Anna/fotolia ; Jacques PALUT/fotolia ; sester1848/fotolia ; Syda Productions/fotolia ; Africa Studio/fotolia ; morrowlight/fotolia ; .shock/fotolia ; wonderwolf28/fotolia – **P. 34 :** pressmaster/fotolia ; NinaMalyna/fotolia ; contrastwerkstatt/fotolia ; Andrey Kiselev/fotolia – **P. 35 :** Tyler Olson/fotolia ; Robert Kneschke/lhutterstock ; Kzenon/fotolia ; Eléonore H/fotolia ; Logostylish/fotolia ; meen_na / fotolia ; monticellllo/fotolia ; sellychan/fotolia ; Kenishirotie/fotolia ; pbombaert/fotolia ; goir/fotolia ; pbombaert/fotolia ; bugtiger/fotolia ; wonderwolf28/fotolia ; bugtiger/fotolia – **P. 36 :** LuckyImages/fotolia ; Frog 974/fotolia ; Frog 974/fotolia – **P. 37 :** Elnur/fotolia ; Delphotostock/fotolia ; M.studio/fotolia ; nito/fotolia ; neirfy/fotolia ; Sergey Nivens/fotolia ; Serge Ramelli/fotolia ; Franck SAnse/fotolia – **P. 38 :** Alexey Rotanov/fotolia ; ka2shka/fotolia ; bbbastien/fotolia ; Unclesam/fotolia ; Delphotostock/fotolia – **P. 39 :** 2707195204/fotolia ; Peter Atkins/fotolia ; courtyardpix/fotolia ; kantver/fotolia ; Stuart Miles/fotolia; Nejron Photo/fotolia – **P. 40 :** Markus Mainka/fotolia ; auremar/fotolia ; aleksandr/fotolia ; Dominique Charriau/GettyImages – **P. 41 :** Pathe films / Collection Christophel (x4) ; LA/fotolia ; Collection Christophel ; Christophe Fouquin/fotolia – **P. 42 :** vectorgirl/fotolia ; zozulinskyi/fotolia ; sester1848/fotolia ; Arcady/fotolia – **P. 43 :** blantiag/fotolia ; Laurent Hamels/fotolia ; contrastwerkstatt/fotolia ; scusi/fotolia – **P. 44 :** olgavolodina/fotolia ; fuchsphotography/fotolia ; criminalatt/fotolia ; CallallooAlexis/fotolia ; goldencow_images/fotolia ; voisine574/ fotolia ; Eléonore H/fotolia ; Brodetskaya Elena/fotolia ; bluedesign/fotolia – **P. 45 :** compuinfoto/fotolia ; DiversityStudio/fotolia ; DiversityStudio/fotolia ; Sylvie Bouchard/fotolia ; Renate W./fotolia ; juniart/fotolia ; karelnoppe/fotolia ; Nolte Lourens/fotolia ; Sylvie Bouchard/fotolia ; erichon/fotolia – **P. 46 :** rasstock/fotolia ; Peter Atkins/fotolia ; ChantalS/fotolia ; Eléonore H/fotolia ; auremar/fotolia ; saintclair23/fotolia ; Picture-Factory/fotolia ; fuchsphotography/fotolia ; olgavolodina/fotolia ; Alena Ozerova/fotolia ; Eléonore H/fotolia – **P. 47 :** M.studio/fotolia ; Luis Echeverri Urrea/fotolia ; Nitr/fotolia ; illustrez-vous/fotolia ; cdrcom/fotolia ; MovingMoment/fotolia ; Miroslawa Drozdowski/fotolia ; pfpgroup/fotolia ; suriya/fotolia – **P. 48 :** atoss/fotolia (x2) ; Natika/fotolia ; sergey88kz/fotolia ; Sailorr/fotolia ; Valentina R./fotolia ; indigolotos/fotolia ; gavran333/fotolia ; Tim UR/fotolia ; ExQuisine/fotolia ; Dmitry Ersler/fotolia ; Swetlana Wall/fotolia ; derlek/fotolia; Chlorophylle/fotolia ; volodymyr Shevchuk/fotolia ; baibaz/fotolia ; Brad Pict/fotolia ; He2/fotolia ; Markus Mainka/fotolia ; stockphoto-graf/fotolia ; Tim UR/fotolia; mdorottya/fotolia ; M.studio/fotolia ; Markus Mainka/fotolia ; Jiri Hera/fotolia ; Uros Petrovic/fotolia ; Joe Gough/fotolia ; alain wacquier/fotolia ; Frank Gaertner/Shutterstock ; alain wacquier/fotolia ; Brad Pict/fotolia ; Brad Pict/fotolia ; Tim UR/fotolia ; BillionPhotos.com/fotolia ; Tiramisu Studio/fotolia ; He2/fotolia – **P. 49 :** abramsdesign/fotolia ; Milkos/fotolia ; Timmary/fotolia ; taa22/fotolia ; gitusik/fotolia ; Orlando Bellini/fotolia ; Volodymyr Shevchuk/fotolia ; Leonid Nyshko/fotolia ; dasuwan/fotolia ; tpzijl/fotolia ; ExQuisine/fotolia ; dimabelokoni/fotolia ; kaiskynet/fotolia ; Anna Bobrowska/fotolia ; Joe Gough/fotolia ; nikolae/fotolia – **P. 50 :** Brad Pict/fotolia ; tatajantra/fotolia ; alain wacquier/fotolia ; yury76/fotolia ; Patryssia/fotolia ; Brad Pict/fotolia – **P. 51 :** dimabelokoni/fotolia ; rdnzl/fotolia ; Brad Pict/fotolia – **P. 52 :** exclusive-design/fotolia ; Marko Poplasen/Shutterstock ; rlat/Shutterstock ; Luiz Rocha /Shutterstock ; Monkey Business/fotolia (x2) ; Radu Bercan/Shutterstock ; Monkey Business Images/Shutterstock ; Alexander Trinitatov/fotolia – **P. 53 :** czamfir/fotolia ; BillionPhotos.com/fotolia ; Kadmy/fotolia ; Christophe Fouquin/fotolia ; euthymia/fotolia; jackfrog/fotolia ; Maksim Shebeko/fotolia ; Christophe Fouquin/fotolia (x2) – **P. 54 :** Richard Villalon/fotolia ; mrks_v/fotolia ; Patryk Michalski/fotolia ; Dmytro Sukharevskyy/fotolia ; M.studio/fotolia ; alexlukin/fotolia ; Christian Fischer/fotolia ; Coprid/fotolia ; Orlando Bellini/fotolia ; pioneer111/fotolia ; krasyuk/fotolia ; atoss/fotolia ; vvoe/fotolia ; BillionPhotos.com/fotolia ; goir/fotolia – **P. 56 :** Dar1930/fotolia ; angiolina/fotolia ; FOOD-micro/fotolia (x2) ; HasanEROGLU/fotolia ; FOOD-pictures/fotolia ; Andrei Tudoran/Shutterstock; spinetta/fotolia.

Couverture : © Ariwasabi/fotolia

Illustrations : Santiago Lorenzo, Lucia Miranda, Esteban Ratti et Oscar Fernandez.
Cartes : Fernando San Martin

Direction éditoriale : Béatrice Rego
Édition : Sylvie Hano
Maquette intérieure : Emma Navarro
Mise en page : AMG
Couverture : Dagmar Stahringer
Enregistrements : Vincent Bund / Quali'Sons
Vidéo : BAZ

ISBN : 978-209-038936-4

Mode d'emploi

- Les objectifs de communication

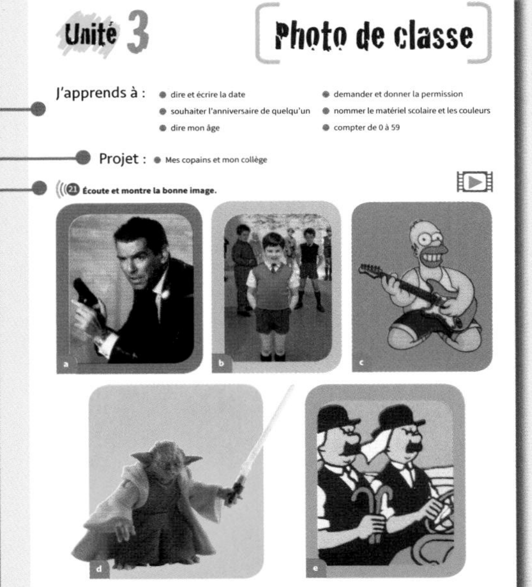

- Une activité d'ouverture
- Le projet

Les séances

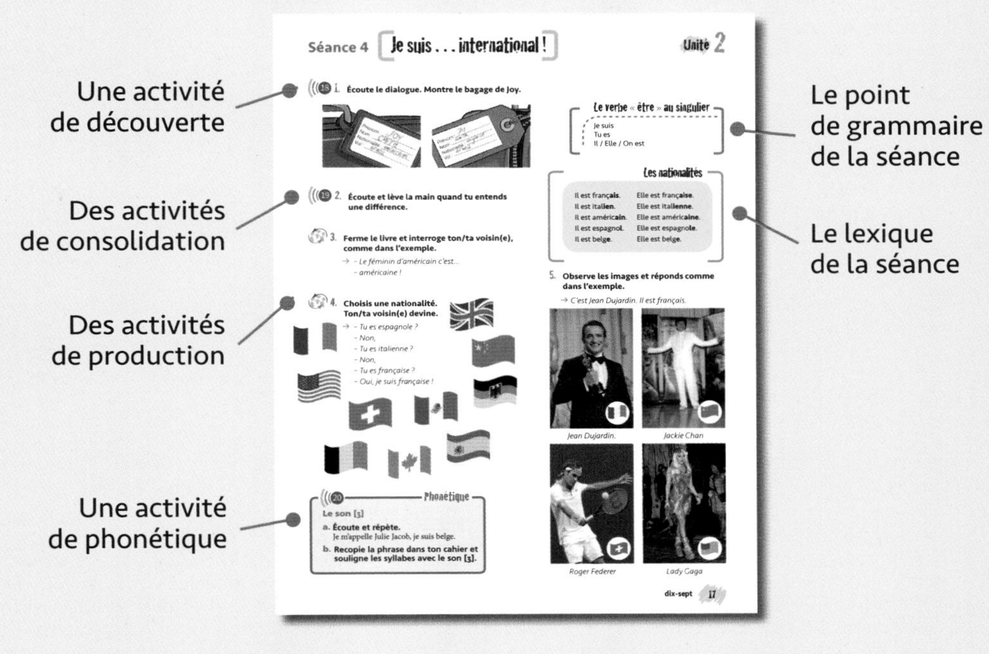

La civilisation

Le projet

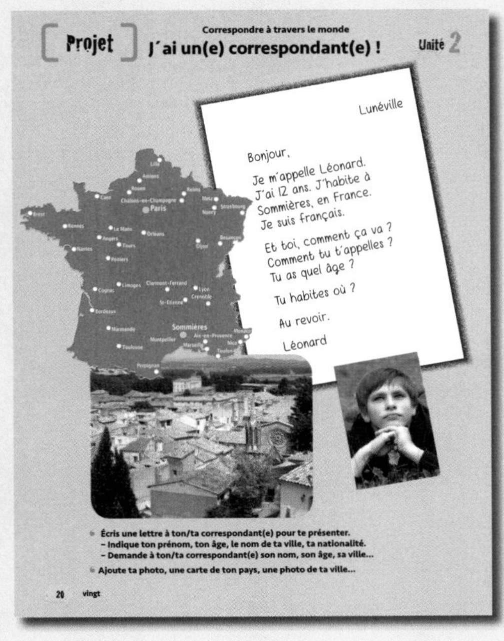

Les pictogrammes

- 13 : Activité de compréhension orale. Le numéro correspond à la piste sur le CD.
- Vidéo
- Activité à faire en binômes ou en petits groupes
- Chanson à retrouver sur Internet

▶ **Et aussi des pages d'entraînements au DELF A1, des pages de grammaire et de conjugaison, un lexique illustré et les transcriptions.**

Tableau des contenus

Lexique	Phonétique	Civilisation	Projet : Correspondre à travers le monde
• Des mots faciles • Les prénoms • L'alphabet • La politesse (*s'il te plaît, s'il vous plaît, merci*)	• L'accent tonique	• Découverte du monde francophone	
• Les salutations • *Comment ça va ? / Comment vas-tu ?...* • Les nationalités	• Le son [ʒ]	• Paris, ville internationale	• J'ai un(e) correspondant(e)
• Les jours de la semaine • Les mois de l'année • Le matériel scolaire • Les couleurs • Les nombres de 0 à 59	• Les sons [s] et [z]	• *Sur le chemin de l'école*, un film de Pascal Plisson	• Mes copains et mon collège

Entraînement au DELF A1

Lexique	Phonétique	Civilisation	Projet : Correspondre à travers le monde
• Les cadeaux • Les formules de politesse : *je voudrais, j'aimerais* • Les magasins • La fête	• Les sons [e], [ɛ] et [ə]	• Fêtes et traditions	• J'organise une grande tombola
• Les membres de la famille • Les parties du corps • Les adjectifs de caractère • Les animaux de compagnie	• Les sons [ɔ̃], [ɑ̃] et [ɛ̃]	• Une famille sénégalaise	• Mon arbre généalogique
• Les aliments • Les repas et les ustensiles • Les nombres de 60 à 100 • Les lieux où mangent les ados : *la maison, le restaurant, le fast-food, la cantine.*	• Les sons [y] et [u]	• Cuisine et téléréalité	• Je suis un master chef junior

Entraînement au DELF A1

Annexes
- Grammaire et conjugaison
- Transcriptions
- Lexique illustré
- Cartes : La France, Le monde de la francophonie

Bonjour du monde !

J'apprends à :
- reconnaître le français
- écouter et prononcer les lettres de l'alphabet
- comprendre les consignes du professeur
- dire pourquoi j'apprends le français
- repérer les pays francophones

1 1. **Écoute. Tu reconnais quelles langues ?**

2. **Et toi, tu parles quelles langues ?**

1. Écoute et montre la bonne image.

Des mots faciles

un avion	un croissant
un bus	un soda
un métro	un thé
un taxi	un cinéma
une baguette	une pharmacie
un café	

Phonétique

L'accent tonique

En français, on prononce plus fort la dernière syllabe.

→ *un mé**tro***

Écoute et répète.

2. Écoute et dis le bon mot.

3. Associe les étiquettes et trouve les 5 mots. Écris les mots dans ton cahier.

Les lettres de l'alphabet

5 1. Écoute l'alphabet. Quelles lettres sont identiques dans ta langue ?

Les prénoms de A à Z

A	B	C	D	E	F	G
Alexis	Baptiste	Clara	Damien	Emma	Florian	Gaëlle
H	I	J	K	L	M	N
Hugo	Inès	Jules	Kenza	Léa	Manon	Nathan
O	P	Q	R	S	T	U
Oscar	Pauline	Quentin	Robin	Sarah	Théo	Ulric
	V	W	X	Y	Z	
	Valentin	William	Xavier	Yasmine	Zoé	

2. Écoute sur Internet la chanson « Les derniers seront toujours les premiers » de Philippe Katerine et chante.

3. Retrouve les prénoms. Utilise l'encadré « Les prénoms ».

4. Retrouve le prénom. Écris le prénom dans ton cahier.

5. Le jeu du pendu. Propose des lettres à ton/ta voisin(e) et trouve le prénom.

6. Forme une lettre avec tes mains. Ton/ta voisin(e) devine la lettre.

Séance 3 — Je comprends le professeur

1. Écoute et montre la bonne image. (piste 6)

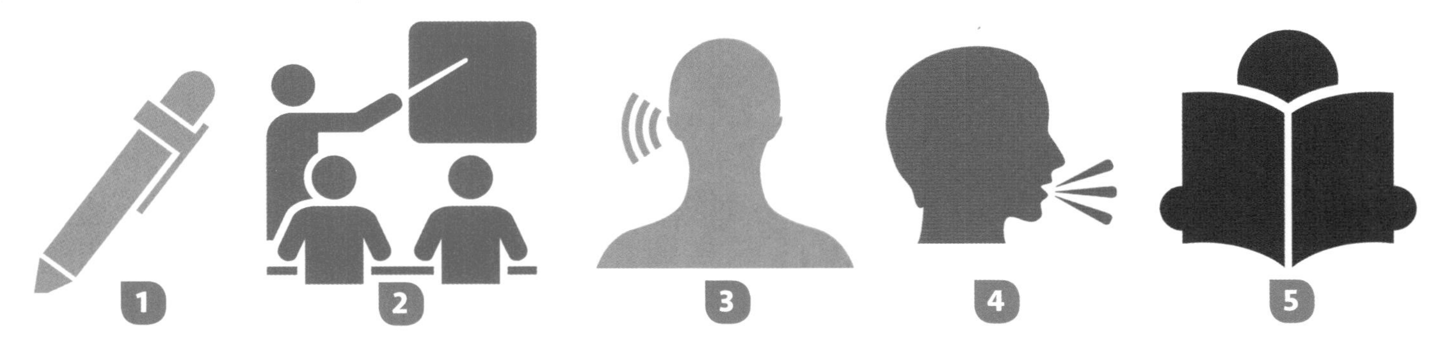

2. Écoute et associe les phrases au professeur. (piste 7)

3. Regarde les images. Écoute et lis les phrases, puis montre la situation. (piste 8)

a. Théo et Pauline… écrivez, s'il vous plaît !
b. Répondez à la question, s'il vous plaît !
c. Kenza, tu dors ??? Réveille-toi, s'il te plaît !
d. Léo, le téléphone portable en classe… non !

s'il te plaît
s'il vous plaît
merci

4. Mime une expression de cette page. Ton/ta voisin(e) devine.

Séance 4 — Je parle en classe

9 **1. Écoute et répète.**

a

b Septembre

c

d

10 **2. Écoute, observe et complète à l'oral.**

a Je peux aller aux ... ?

b Je ne ... pas.
Vous pouvez répéter ?

c C'est à quelle ... du livre ?

d Ça s'écrit comment ... ?

11 **3. Écoute, qui parle : un professeur ou un élève ?**

4. Mets les dialogues dans l'ordre.

a. – C'est à la page 12.
– Merci.
– C'est à quelle page, s'il te plaît ?

b. – Oui, bien sûr.
– Vous pouvez répéter, s'il vous plaît ?
– Merci.

5. Jouez à deux les dialogues de l'activité 4.

Pourquoi apprendre le français ?

1. Lis, observe et réponds.

Et toi, pourquoi tu apprends le français ?

Ils apprennent le français :

... pour voyager

... pour avoir des nouveaux amis francophones.

... pour écouter de la musique et regarder des films en français.

... pour étudier ou habiter plus tard à l'étranger.

2. Lis et réponds.

Le français dans le monde

- 274 millions de personnes parlent français dans le monde.
- Le français est la langue officielle en Belgique (Wallonie), au Canada (Québec), en France métropolitaine et en outre-mer, à Haïti, au Luxembourg, à Monaco, en Suisse et dans de nombreux pays d'Afrique.

a. On parle français en ... . Donne le nom de 4 pays.

b. Montre sur la carte de la francophonie, page 71, les pays suivants : *France – Sénégal – Belgique – Suisse – Maroc.*

Découverte du monde francophone

Avec Maxime, Audrey, Lara, Moussa et Eva, découvre des personnalités francophones !

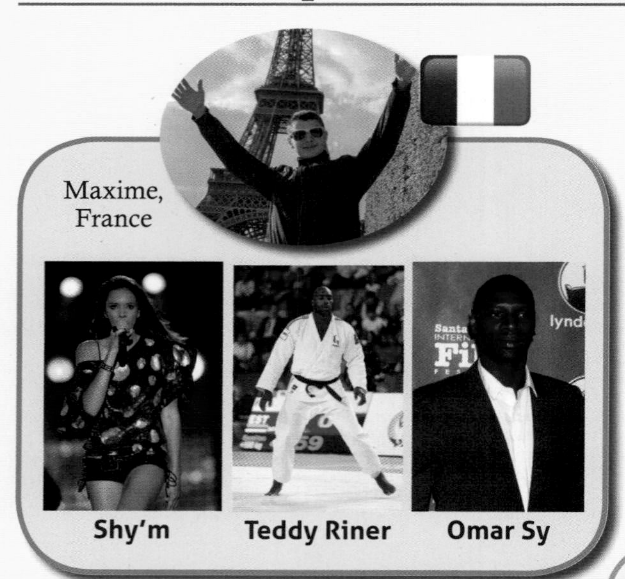

Maxime, France

Shy'm — Teddy Riner — Omar Sy

Audrey, Canada

Céline Dion — Stéphane Rousseau — Eugénie Bouchard

Rokia Traore — Inna Modja — Seydou Keita

Moussa, Mali

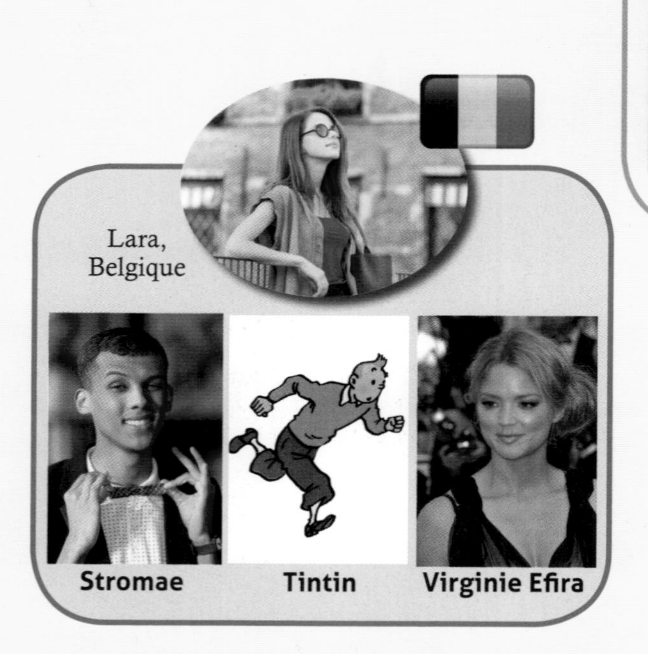

Lara, Belgique

Stromae — Tintin — Virginie Efira

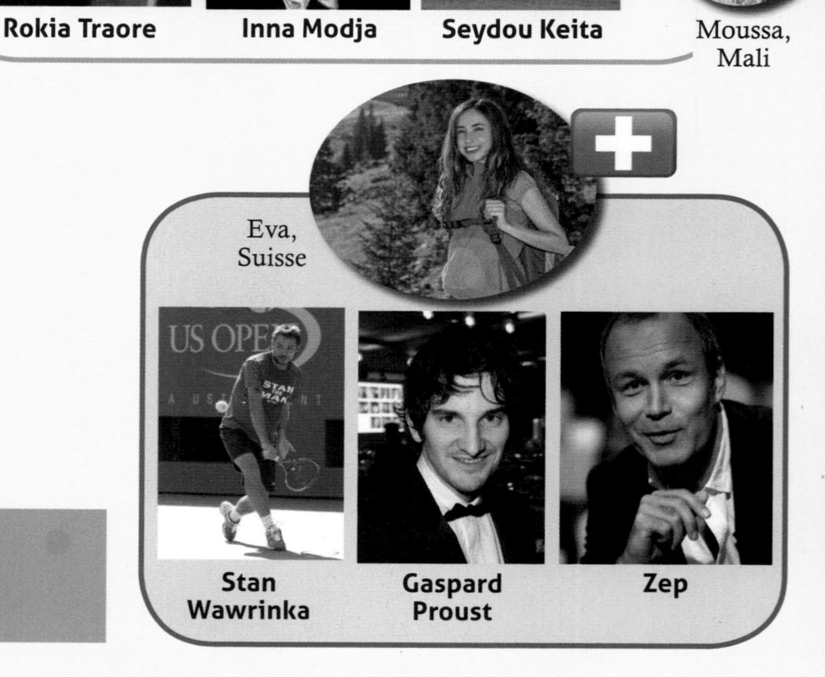

Eva, Suisse

Stan Wawrinka — Gaspard Proust — Zep

1. Cite 4 personnalités de ton pays.

Unité 2 — Comment ça va ?

J'apprends à :
- saluer, dire « bonjour » et « au revoir »
- demander à quelqu'un comment il s'appelle
- dire mon prénom et mon nom
- demander « comment ça va ? »
- dire où j'habite

Projet :
- J'ai un(e) correspondant(e)

12 **Écoute et montre la bonne situation.**

1

2

3

4

5

Séance 1 C'est qui ?

(13) 1. **Écoute et montre Sandra, Kiara et Jade.**

C'est / Voici

- **C'est** qui ?
- **C'est** Mathias ! / **Voici** Mathias !

2. **Trouve qui c'est. Demande à ton/ta voisin(e).**

→ *– C'est qui ?*
– C'est Tintin. / Voici Tintin.

Dark Vador

Dracula

Mario Bros

Jack Sparrow

(14) 3. **Écoute et répète. Attention à l'intonation !**

4. **Mets les lettres dans l'ordre. Écris le dialogue dans ton cahier.**

5. **Jouez en groupe. Découvre qui a la balle. Utilise « C'est » et « Voici ».**

Ça va super !

1. Écoute et montre la bonne image. (15)

a

b

c

Saluer

Pour saluer :
salut
bonjour
bonsoir

Pour dire au revoir :
salut
au revoir
bonsoir

2. Associe les mots aux images.
bonjour – bonsoir – salut

3. Écoute, imite l'intonation et mime. (16)

Ça va !

Comment ça va ?
Comment vas-tu ?
Ça va mal !
Bof !
Ça va bien !
Ça va super !

4. Dans ton cahier, complète les dialogues avec « moi » ou « toi ».

a. – Comment ça va Alex ?
– Ça va bien, merci. Et … ?
– … ? Bof.

b. – Éva, c'est … ?!
– Oui c'est … .
– Ouf !

Moi / toi

– C'est qui ?
– C'est **moi** !
– C'est **toi** !

5. Tu rencontres un(e) ami(e), un professeur, ton/ta sportif/ive préféré(e)… Jouez la scène à deux comme dans l'exemple.

→ *– Oh c'est, c'est… c'est Tsonga !*
– Salut, ça va ?
– Heu… oui… heu…
– Ça va bien ???
– Oui, super et toi ?
– Très bien. Au revoir !
– Oui… salut !

Comment tu t'appelles ?

17 **1. Écoute et réponds : vrai ou faux ?**

a. C'est une conversation au téléphone.
b. Jules parle avec Emma.
c. Marie et Jules sont amis.

Le verbe « s'appeler » au singulier

Je m'appel**le**
Tu t'appel**les**
Il / Elle / On s'appel**le**

→ *Comment tu t'appelles ?*

2. Ton/ta voisin(e) épelle son nom. Écris son nom dans ton cahier.

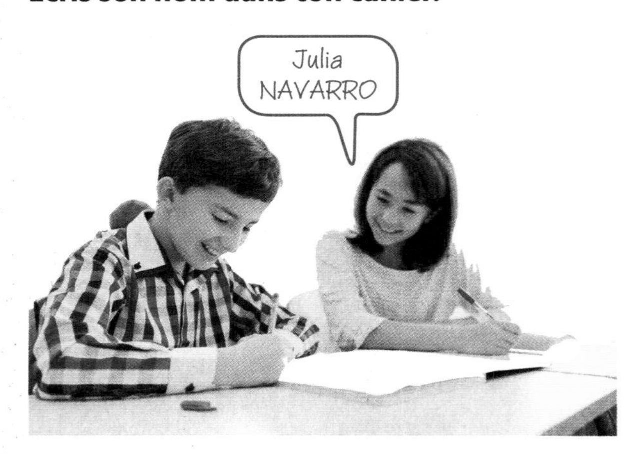

3. Complète les dialogues avec les phrases ci-dessous. Associe les phrases aux images.

a. Moi, je m'appelle Lucas.
b. Bonjour, comment tu t'appelles ?
c. Bonjour Gaffi... ça va bien !
d. Salut ! Comment il s'appelle ?

4. Interroge ton/ta voisin(e) comme dans l'exemple.

→ – *Comment tu t'appelles ?*
– *Je m'appelle Roxane.*

5. Mime un personnage. Les autres devinent le nom du personnage.

→ *Il/Elle s'appelle...*

Je suis . . . international !

18 **1. Écoute le dialogue. Montre le bagage de Joy.**

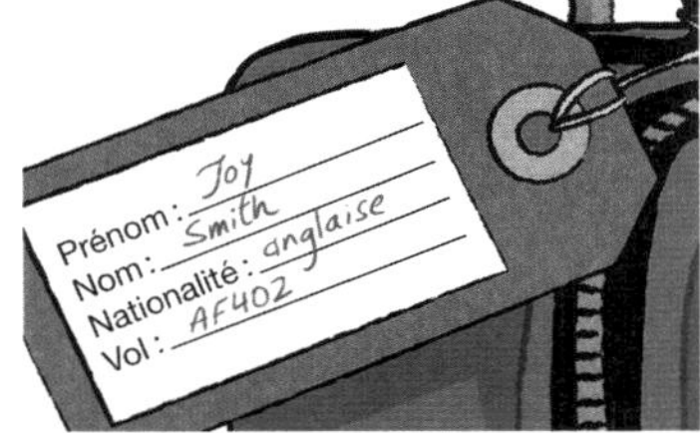

19 **2. Écoute et lève la main quand tu entends une différence.**

3. Ferme le livre et interroge ton/ta voisin(e), comme dans l'exemple.

→ *– Le féminin d'américain c'est...*
– américaine !

4. Choisis une nationalité. Ton/ta voisin(e) devine.

→ *– Tu es espagnole ?*
– Non,
– Tu es italienne ?
– Non,
– Tu es française ?
– Oui, je suis française !

Phonétique

Le son [ʒ]

a. Écoute et répète.
Je m'appelle Julie Jacob, je suis belge.

b. Recopie la phrase dans ton cahier et souligne les syllabes avec le son [ʒ].

Le verbe « être » au singulier

Je **suis**
Tu **es**
Il / Elle / On **est**

Les nationalités

Il est franç**ais**.	Elle est franç**aise**.
Il est ital**ien**.	Elle est ital**ienne**.
Il est améric**ain**.	Elle est améric**aine**.
Il est espagno**l**.	Elle est espagno**le**.
Il est bel**ge**.	Elle est bel**ge**.

5. Observe les images et réponds comme dans l'exemple.

→ *C'est Jean Dujardin. Il est français.*

Jean Dujardin.

Jackie Chan

Roger Federer

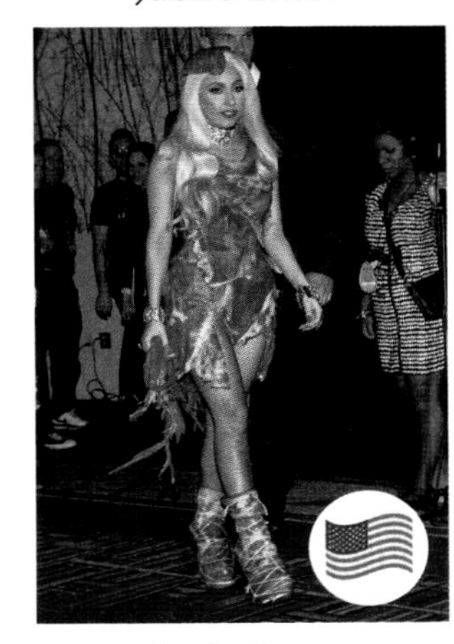

Lady Gaga

1. **Lis le document « La vie des stars » et réponds.**

a. Qui parle anglais ?
b. Qui habite à Paris ?
c. Qui habite à New York ?
d. Selon toi, qui est français ?

Les verbes « habiter » et « parler »

Habiter	Parler
J'habite	Je parle
Tu habites	Tu parles
Il / Elle / On habite	Il / Elle / On parle
j'habite + **à** + ville	*je parle* + langue
J'habite à Paris.	*Je parle français.*

2. **Recopie la grille. Place tes bateaux. Découvre les bateaux de ton/ta voisin(e). Trouve le verbe et la personne.**

Marine

	habiter	parler	s'appeler
je			
tu			
il			
elle			

Clément : Tu habites à Séville ?
Marine : Oui, touché !

Clément

	habiter	parler	s'appeler
je			
tu			
il			
elle			

Marine : Elle parle anglais ?
Clément : Non perdu !

3. **Où habite ta star préférée ? Pose la question à ton/ta voisin(e).**

→ – *Où habite Kev Adams ?*
– *Il habite à Paris.*

La vie des stars !

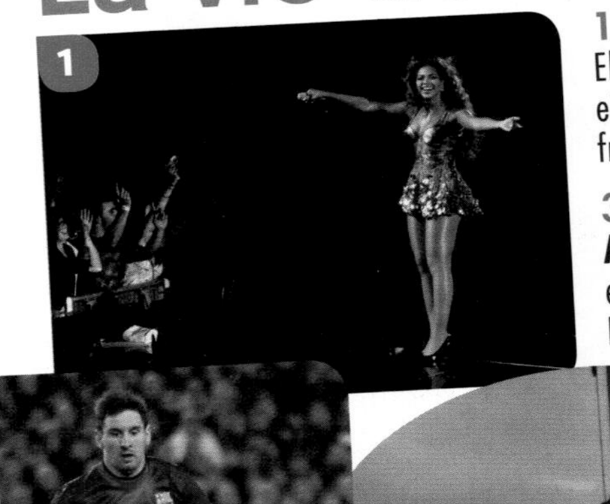

1. Voici **Beyoncé** ! Elle habite à New York, elle parle anglais et français.

3. Il s'appelle **Kev Adams**, il parle français, espagnol et allemand. Il habite à Paris.

2. Il s'appelle **Messi**. Il habite à Barcelone. Il parle espagnol, catalan, français et anglais.

4. Elle, c'est **Louane**. Elle habite à Hénin-Beaumont, elle parle français et anglais.

4. **Devine qui tu es ! Pose des questions à ton/ta voisin(e).**

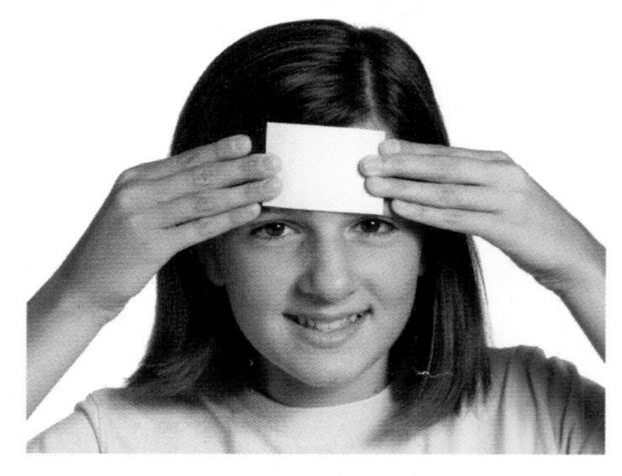

→ – *Je parle anglais ?*
– *Oui, tu parles anglais.*
– *J'habite à Barcelone ?*
– *Non, tu habites à New York.*
– *Je suis américaine ?*
– *Oui !*
– *Je m'appelle Beyoncé ??!!*
– *Oui !!!*

Paris, ville internationale

Paris : destination numéro 1 des touristes dans le monde.
47 millions de visiteurs par an !

La parole aux jeunes parisiens

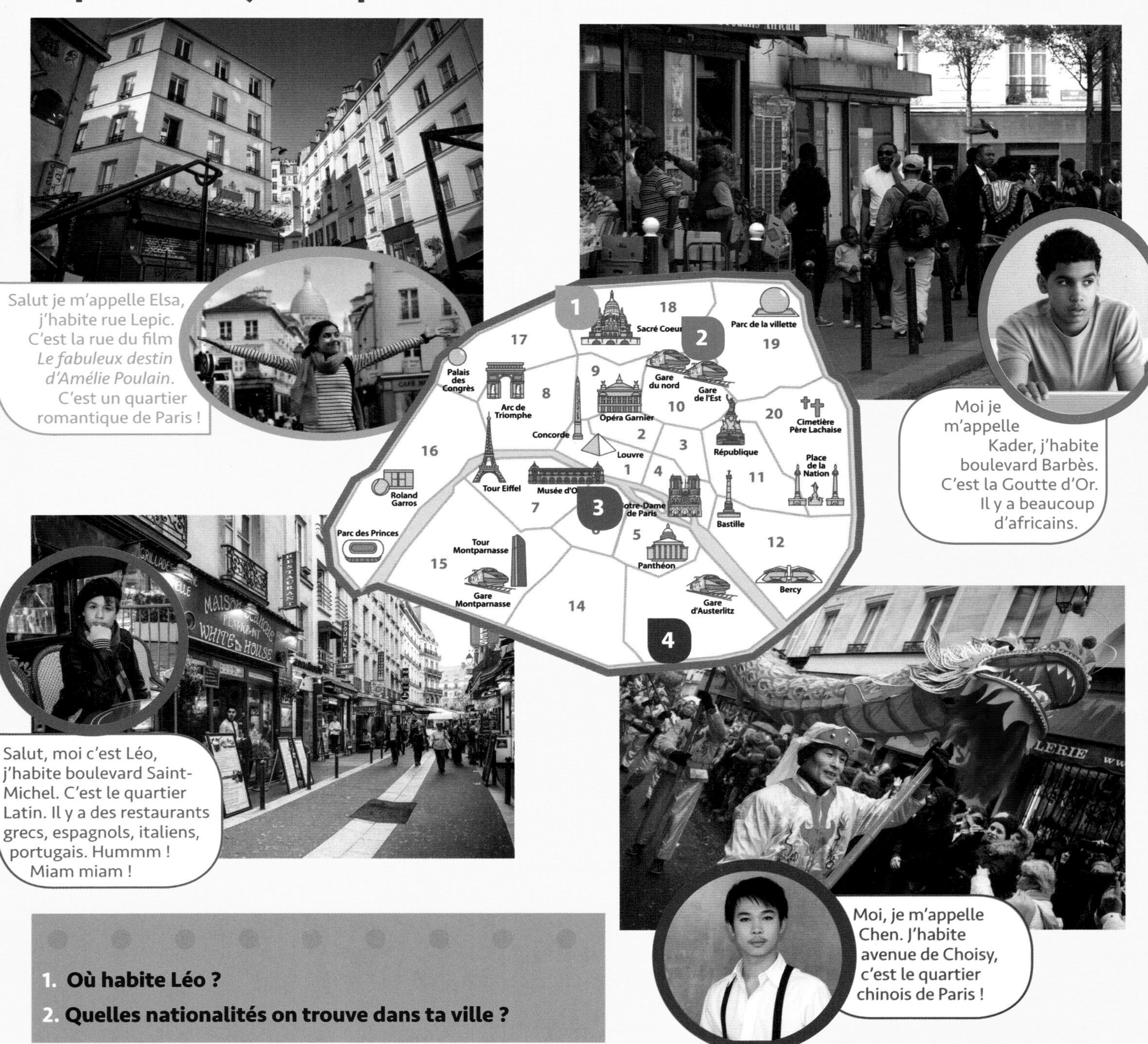

1. **Où habite Léo ?**
2. **Quelles nationalités on trouve dans ta ville ?**

Correspondre à travers le monde

J'ai un(e) correspondant(e) !

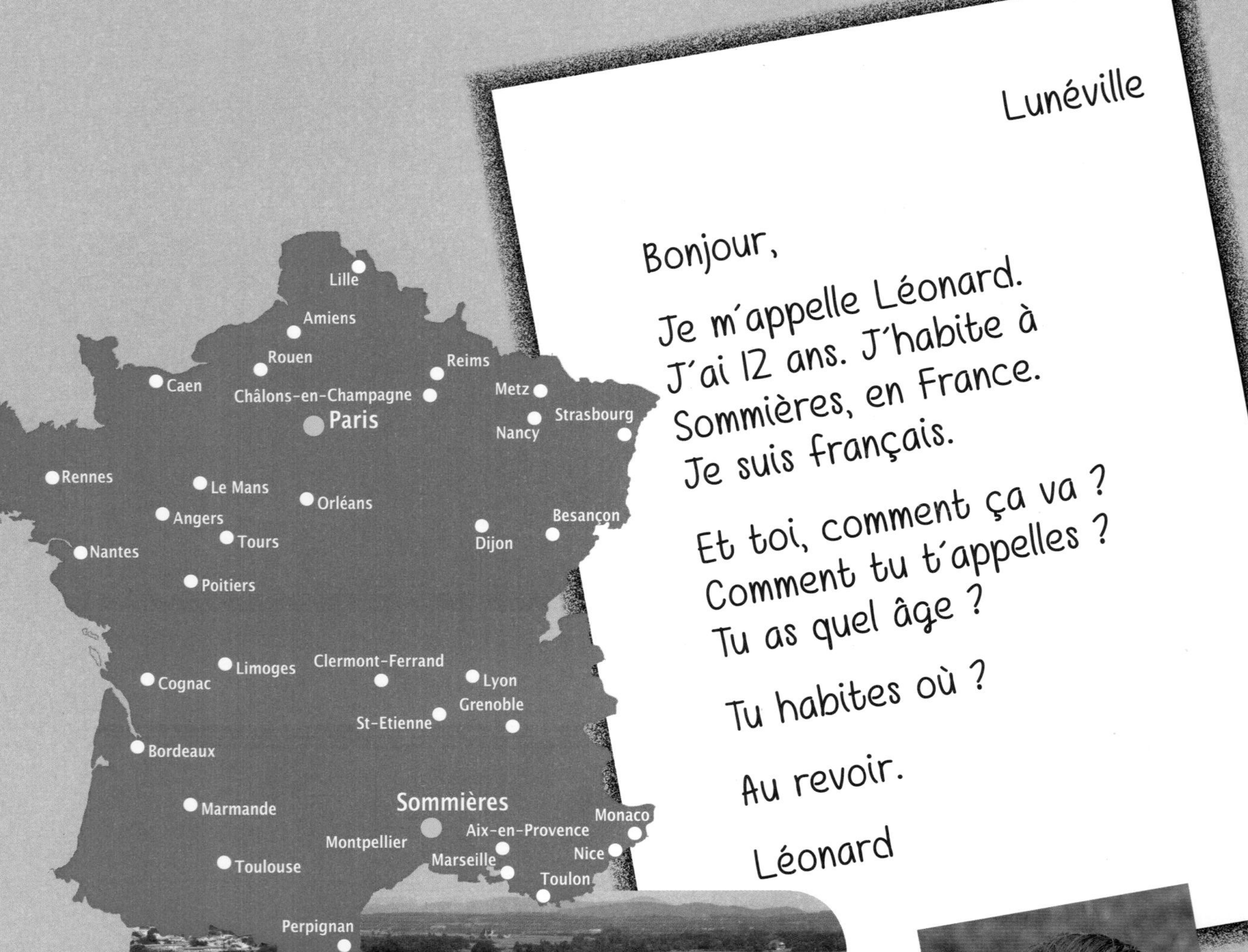

Lunéville

Bonjour,

Je m'appelle Léonard.
J'ai 12 ans. J'habite à
Sommières, en France.
Je suis français.

Et toi, comment ça va ?
Comment tu t'appelles ?
Tu as quel âge ?

Tu habites où ?

Au revoir.

Léonard

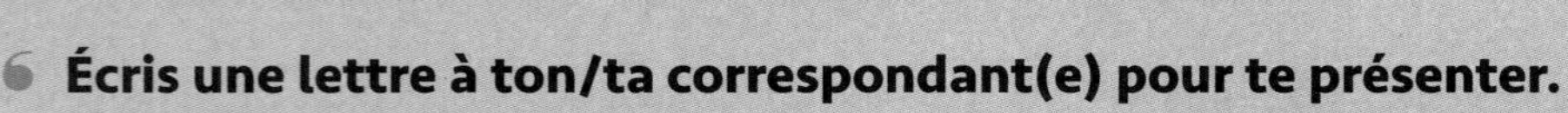

Écris une lettre à ton/ta correspondant(e) pour te présenter.
- **Indique ton prénom, ton âge, le nom de ta ville, ta nationalité.**
- **Demande à ton/ta correspondant(e) son nom, son âge, sa ville...**

Ajoute ta photo, une carte de ton pays, une photo de ta ville...

Unité 3

Photo de classe

J'apprends à :

- dire et écrire la date
- souhaiter l'anniversaire de quelqu'un
- dire mon âge
- demander et donner la permission
- nommer le matériel scolaire et les couleurs
- compter de 0 à 59

Projet :
- Mes copains et mon collège

21 **Écoute et montre la bonne image.**

a

b

c

d

e

22 1. Écoute et réponds.

a. La fête de Quentin c'est :
- le 31 octobre
- le 14 février
- le 21 juin

b. Le 14 juillet, c'est quelle fête en France ?

Le calendrier

Les jours de la semaine	Les mois	
lundi	janvier	juillet
mardi	février	août
mercredi	mars	septembre
jeudi	avril	octobre
vendredi	mai	novembre
samedi	juin	décembre
dimanche		

2. Quel jour de la semaine tu préfères ? Demande à ton/ta voisin(e).

→ *– Quel jour tu préfères ?*
– Le mercredi.

Le verbe « être » au pluriel

Nous **sommes**
Vous‿**êtes**
Ils / Elles **sont**

3. Compte les élèves de ta classe et réponds.

Vous êtes combien dans la classe ?
Combien de garçons ? Et combien de filles ?
→ *Nous sommes 32. Les garçons ... 4 et les filles ...*

Les nombres de 0 à 59

0 : zéro	11 : onze	...
1 : un	12 : douze	29 : vingt-neuf
2 : deux	13 : treize	30 : trente
3 : trois	14 : quatorze	31 : trente **et** un
4 : quatre	15 : quinze	32 : trente-deux
5 : cinq	16 : seize	40 : quarante
6 : six	17 : dix-sept	41 : quarante **et** un
7 : sept	18 : dix-huit	42 : quarante-deux
8 : huit	19 : dix-neuf	50 : cinquante
9 : neuf	20 : vingt	51 : cinquante **et** un
10 : dix	21 : vingt **et** un	59 : cinquante-neuf

23 4. Écoute et compte dans les silences.

5. Regarde le calendrier et trouve la bonne date. Écris dans ton cahier la date de la fête de ...

a. Emma
b. Norbert
c. Jules
d. Clothilde
e. Sophie
f. Augustin

AVRIL				MAI				JUIN			
1	V	Hugues		1	D	**Fête du travail**		1	M	Justin	
2	S	Sandrine		2	L	Boris	18	2	J	Blandine	
3	D	Richard		3	M	Philippe, Jacques		3	V	Kévin	
4	L	Isidore	14	4	M	Sylvain		4	S	Clotilde	
5	M	Irène		5	J	**Ascension**		5	D	Igor	
6	M	Marcellin		6	V	Prudence		6	L	Norbert	23
7	J	J-Baptiste		7	S	Gisèle		7	M	Gilbert	
8	V	Julie		8	D	**Victoire 1945**		8	M	Médard	
9	S	Gauthier		9	L	Pacôme	19	9	J	Diane	
10	D	Fulbert		10	M	Solange		10	V	Landry	
11	L	Stanislas	15	11	M	Estelle		11	S	Barnabé	
12	M	Jules		12	J	Achille		12	D	Guy	
13	M	Ida		13	V	Rolande		13	L	Antoine de P.	24
14	J	Maxime		14	S	Matthias		14	M	Elisée	
15	V	Paterne		15	D	**Pentecôte**		15	M	Germaine	
16	S	Benoît-Joseph		16	L	**Lundi de Pentecôte**		16	J	Aurélien	
17	D	Anicet		17	M	Pascal	20	17	V	Hervé	
18	L	Parfait	16	18	M	Eric		18	S	Léonce	
19	M	Emma		19	J	Yves		19	D	**Fête des Pères**	
20	M	Odette		20	V	Bernardin		20	L	Silvère	25
21	J	Anselme		21	S	Constantin		21	M	Rodolphe	
22	V	Alexandre		22	D	Emile		22	M	Alban	
23	S	Georges		23	L	Didier	21	23	J	Audrey	
24	D	Fidèle		24	M	Donatien		24	V	Jean-Baptiste	
25	L	Marc	17	25	M	Sophie		25	S	Prosper	
26	M	Alida		26	J	Bérenger		26	D	Anthelme	
27	M	Zita		27	V	Augustin		27	L	Fernand	26
28	J	Jour du Souv.		28	S	Germain		28	M	Irénée	
29	V	Cath. de Si.		29	D	**Fête des Mères**		29	M	Pierre, Paul	
30	S	Robert		30	L	Ferdinand	22	30	J	Martial	
				31	M	Visitation					

Joyeux anniversaire !

24 **1. Écoute et associe avec la bonne illustration.**

a

b

c

d

2. Compare ton âge avec ton/ta voisin(e) comme dans l'exemple.

→ *– Tu as quel âge ?*
– J'ai 12 ans et toi ?
– J'ai 13 ans.

Le verbe « avoir »

J'**ai**	Nous‿av**ons**
Tu **as**	Vous‿av**ez**
Il / Elle / On‿**a**	Ils‿**ont** / Elles‿**ont**

3. Associe les phrases ci-contre aux images.

1

2

3

4

a. Bonjour, je m'appelle Julien. J'ai trente-trois ans.
b. Nous sommes Enzo et Théo, nous avons treize ans.
c. Elle s'appelle Clara, elle a trois ans.
d. Elles s'appellent Magali et Sophie, elles ont dix-huit ans.

4. En groupes, faites le calendrier des anniversaires de la classe. Interroge tes voisin(e)s.

→ *– C'est quand ton anniversaire, Enzo ?*
– C'est le 12 avril.
– Et toi Léa ?
– C'est le 29 mai.

Phonétique

Les sons [s] et [z]

[s] = **S**alut comment **ç**a va ?
[z] = Bien ! Enzo et moi nous‿avons treize‿ans aujourd'hui.

Écoute et dis, pour chaque phrase, combien de fois tu entends le son [s] et le son [z].

5. Écoute sur Internet la chanson de l'anniversaire et chante.

Séance 3 Qu'est-ce que c'est ?

1. Écoute et réponds. (26)

a. Quel est le cadeau de Léa ?
   - une tablette
   - un jeu vidéo
   - un logiciel de maths

b. Léa est contente du cadeau ?

Les articles indéfinis

Masculin	Féminin	Pluriel
un	**une**	**des**
un cadeau	*une tablette*	*des cadeaux / des tablettes*

2. Écoute. Tu entends le nom d'un objet : tu poses l'objet sur ta table. (27)

3. Cache des objets dans ta trousse. Ton/ta voisin(e) devine. Utilise l'encadré « Le matériel scolaire ».

→ – *C'est une gomme.*
  – *Ce sont des stylos.*

Qu'est-ce que c'est ?

C'est + nom singulier	**Ce sont** + nom pluriel
C'est un livre.	*Ce sont des ciseaux.*

4. Fais la liste de ton matériel scolaire.

Le matériel scolaire

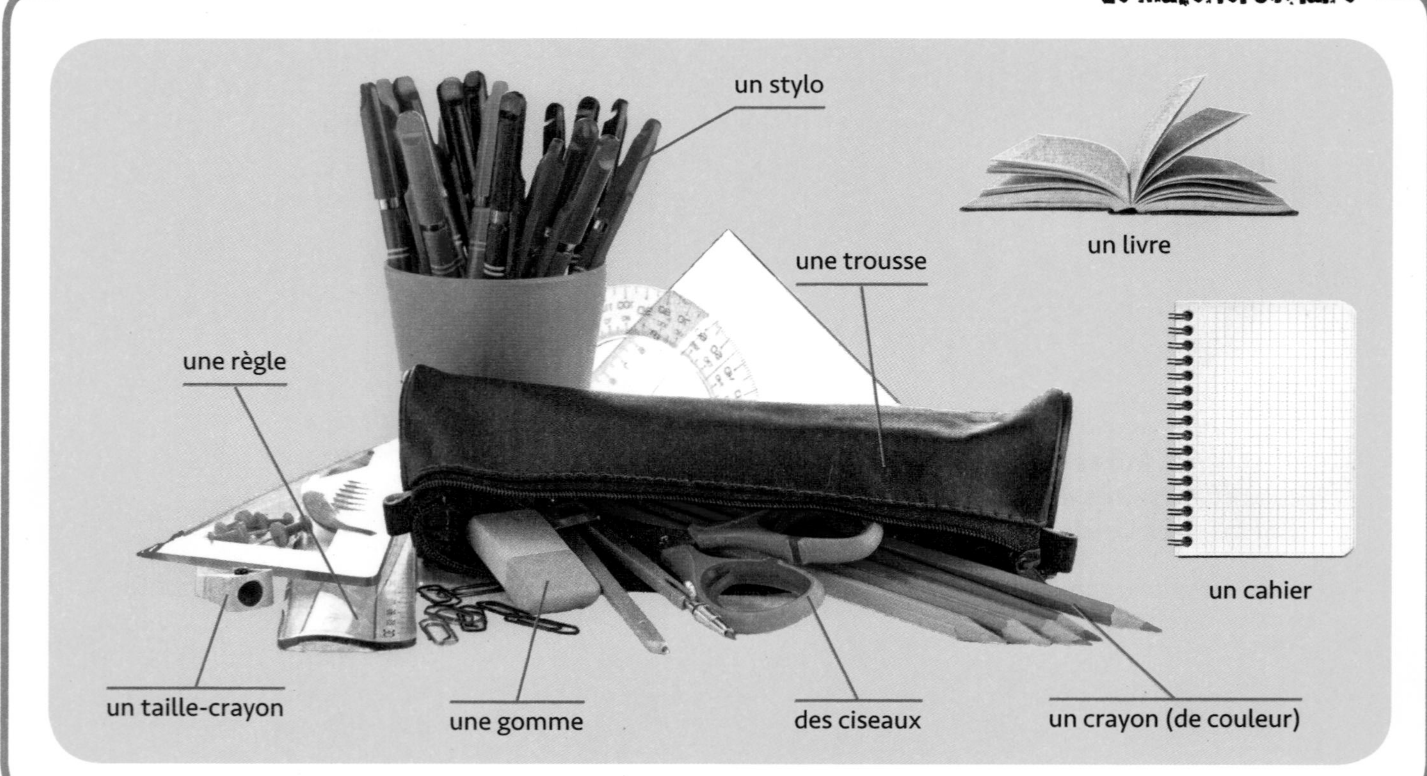

Il y a un livre rouge

(28) 1. Écoute, observe et réponds.

a. À qui sont le stylo violet et les ciseaux verts ?
b. Nomme les objets et dis leur couleur.
→ *La règle blanche, le stylo violet...*

Les couleurs

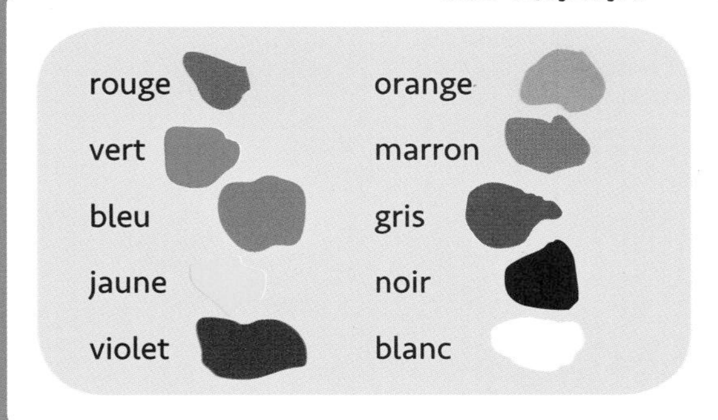

2. Fais deviner une couleur.

→ *– Le tableau ?*
– Blanc !
– Oui, à toi.

– Le logo de Facebook ?
– Bleu !
– Oui !!!

3. Observe le graffiti dans la cour du collège. Montre et nomme les couleurs.

Les articles définis

Masculin	Féminin	Pluriel
le / l'	**la / l'**	**les**
le tableau	*la gomme*	*les crayons*
l'élève	*l'enseignante*	*les élèves*

4. Complète avec un article défini.

a. C'est une classe. C'est ... classe de français.
b. Ce sont des ciseaux. Ce sont ... ciseaux d'Emma.
c. Qu'est-ce que c'est ? C'est ... sac de Tom.
d. Dans ... sac, il y a .... feutres de .... élève.

« Il y a »

Il y a un livre sur la table.
Il y a des stylos sur la table.

5. Observe la photo. Ferme les yeux et cite un maximum d'objets. Donne la couleur des objets. Jouez par équipe.

→ *Il y a un livre rouge, un crayon rouge...*

Séance 5

Est-ce que je peux entrer ?

1. Observe et associe les phrases ci-contre aux personnages du dessin.

a. Est-ce que je peux aller aux toilettes, s'il vous plaît ?
b. Est-ce que je peux entrer, s'il vous plaît ?
c. Est-ce que je peux aller au tableau, madame ?
d. Est-ce que je peux jeter un papier à la poubelle, s'il vous plaît ?

La permission

Demander la permission
Est-ce que + verbe **pouvoir** + verbe à l'infinitif
Est-ce que je peux entrer ? = Je peux entrer ?

Donner la permission
Oui, c'est autorisé. / Oui, c'est possible.

Interdire
Non, c'est interdit.

2. Mets les phrases dans l'ordre et réponds.

a. s'il vous plaît ?/ peux / téléphoner / je / Est-ce que /

b. peux / en / dormir / Je / classe ? /

29 **3. Lis le règlement. Écoute et réponds aux questions de Thomas comme dans l'exemple.**

→ *– Est-ce que je peux crier dans la classe ?*
– Non, crier dans la classe est interdit.

Règlement du collège Jules Ferry de Port-au-Prince

Article 1 ~ Fumer dans le collège est interdit.

Article 2 ~ Le téléphone portable est interdit en classe.

Article 3 ~ L'accès à Internet est autorisé dans le collège.

Article 4 ~ Crier dans la classe est interdit.

Article 5 ~ L'uniforme est obligatoire.

4. Qu'est-ce qui est autorisé dans ton collège ? Qu'est-ce qui est interdit dans ton collège ?

→ *Courir dans la cour de récréation, c'est autorisé. Courir dans la classe, c'est interdit.*

5. Observe l'image et écris le dialogue dans ton cahier.

6. En petits groupes, inventez un règlement de collège idéal ! Posez-vous des questions.

→ *– Est-ce qu'il est possible de manger en classe ?*
– Oui, bien sûr !

Sur le chemin de l'école

Dans le film *Sur le chemin de l'école* (2013), Pascal Plisson raconte les aventures vraies de quatre enfants pour arriver à leur école.

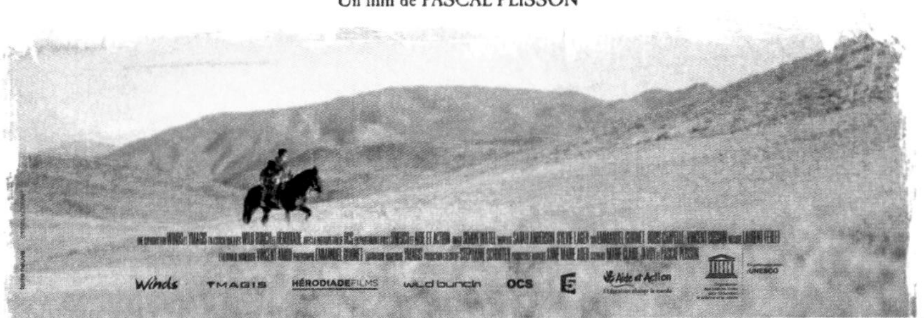

Jackson a 11 ans, il habite au Kenya. Il marche 15 kilomètres avec sa petite sœur au milieu de la savane et des animaux sauvages.

Zahira a 12 ans, elle habite dans les montagnes de l'Atlas marocain. Elle marche toute la journée pour arriver au collège avec ses deux amies.

Samuel a 13 ans, il vit en Inde. Chaque jour, il doit faire 4 kilomètres pour aller à l'école, mais c'est très difficile car il ne peut pas marcher. Ses deux jeunes frères poussent pendant plus d'une heure son fauteuil roulant jusqu'à l'école.

Carlos a 11 ans, il habite en Argentine. Avec sa petite sœur, ils traversent 18 kilomètres à cheval pour aller à l'école.

1. **Ma maison est à ... kilomètre(s) de l'école.**
2. **Je vais à l'école en ... minutes.**
3. **Observe l'affiche du film et nomme les enfants.**

Entraînement au DELF A1

Compréhension orale

30 **1. Lis les questions. Écoute l'enregistrement puis réponds.**

1. Qui vous appelez ? Choisis la bonne image.

a 

b 

c 

2. Quel jour ils sont ouverts ?
   a. lundi **b.** mercredi **c.** vendredi
3. Combien de jours ils sont ouverts dans la semaine ?
4. Quel mois le centre est-il fermé ?
   a. septembre **b.** novembre **c.** décembre
5. Complète le numéro de téléphone des animateurs.
   02 … 24 … 13

31 **2. Tu vas entendre 5 petits dialogues correspondant à 5 situations différentes. Associe chaque dialogue à une image.**

Attention, il y a 6 images, mais seulement 5 dialogues !

a 

b 

c 

d 

e 

f 

Compréhension écrite

Lis le message de Louna. Réponds aux questions.

Salut,
Je m'appelle Louna, je suis ta correspondante.
J'ai 13 ans, mon anniversaire c'est le
12 novembre.
Je suis marocaine, j'habite à Genève,
16 rue de la Dôle. Je parle français,
arabe et italien. Et toi ? Tu parles quelles
langues ?
Genève, c'est international,
il y a des Européens, des Africains,
des Asiatiques, des Américains !
Dans ta ville, c'est comment ?
Bises.
Louna

1. Louna a quel âge ?
a. 12 ans **b.** 13 ans **c.** 16 ans

2. Quelle est la date d'anniversaire de Louna ?

12 octobre

3. Louna est :
a. suisse. **b.** française. **c.** marocaine.

4. Louna habite :
a. à Paris. **b.** à Genève. **c.** à Casablanca.

5. Louna parle quelles langues ?

Production écrite

Complète la fiche d'inscription sur ton cahier.

Fiche d'inscription
Séjours linguistiques Paris+

Nom : ....
Prénom : ....
Âge : ....
Ville : ....
Pays : ....
Nationalité : ....
Numéro de téléphone : ....
Langue(s) parlée(s) : ....
Nom du collège : ....

Production orale

▶ Échange d'informations

Tu poses des questions à l'aide des mots ci-dessous.

ville — prénom — jours de la semaine — langues — nationalité — matériel scolaire

▶ Dialogue simulé

Tu demandes à ton professeur la permission de sortir, de téléphoner, d'aller aux toilettes... Il accepte ou il refuse. Jouez la scène.

Correspondre à travers le monde

Mes copains et mon collège

J'ai deux copains et trois copines. Ils s'appellent : Léo et Enzo, Léa, Luce et Marie. Comment s'appellent tes copains et copines ?

C'est mon anniversaire le 5 mars. Et toi, c'est quand ton anniversaire ?

Mon collège s'appelle Marie Curie. J'ai huit professeurs. Mon professeur principal s'appelle madame Jordano.

C'est la classe de français. Dans mon groupe, il y a vingt-sept élèves : treize filles et quatorze garçons.

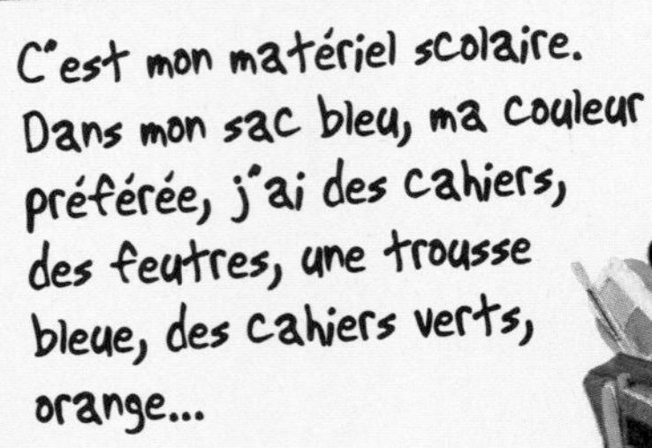

C'est mon matériel scolaire. Dans mon sac bleu, ma couleur préférée, j'ai des cahiers, des feutres, une trousse bleue, des cahiers verts, orange…

C'est le bus scolaire. Ma maison est à sept kilomètres de l'école.

- **Présente ton collège, tes copains et tes copines, présente tes professeurs.**
- **Présente ton matériel.**

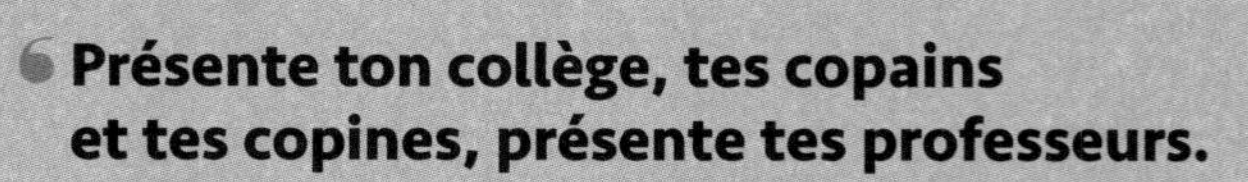

- **Ajoute des photos ou des illustrations.**
- **Fais une jolie présentation.**

Unité 4

C'est la fête !

J'apprends à :

- poser des questions : *qui, quand, comment, combien*
- écrire une lettre à un(e) ami(e)
- exprimer un goût
- exprimer un souhait
- faire des achats dans les magasins

Projet :

- J'organise une grande tombola

32 **Écoute et montre la bonne image.**

1

2

3

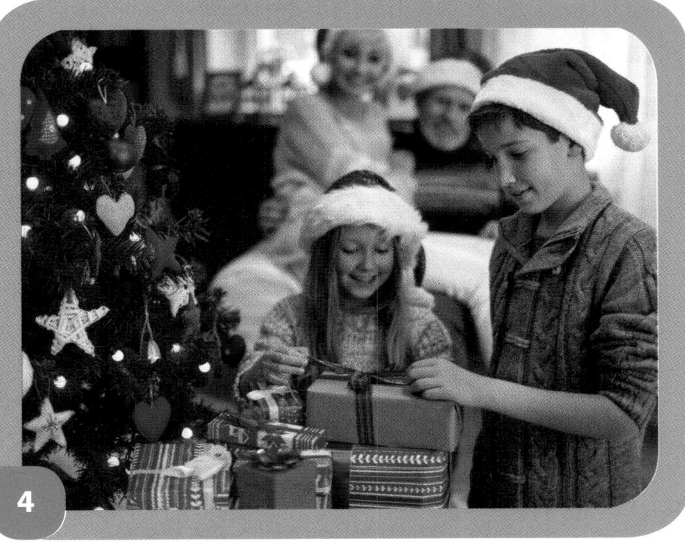

4

1. Lis le message et réponds.

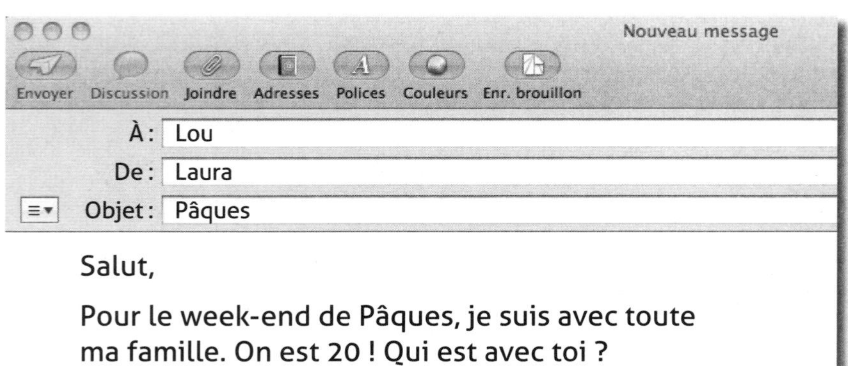
Nouveau message
Envoyer Discussion Joindre Adresses Polices Couleurs Enr. brouillon
À : Lou
De : Laura
Objet : Pâques

Salut,

Pour le week-end de Pâques, je suis avec toute ma famille. On est 20 ! Qui est avec toi ?
Comment c'est Pâques chez toi ?
Chez nous, on cache des œufs en chocolat dans le jardin, le matin. J'aime les fêtes : Pâques, Noël...
Et j'aime le père Noël !
Et chez toi, quand on cache les œufs ?
Tu réponds vite !

Bisous.

Laura

Qui, quand, comment

Qui c'est ?/ C'est **qui** ?
Quand tu caches les œufs ?
Quand c'est Pâques ?
Comment c'est ?

2. Observe les images et réponds.

a C'est qui ?

b C'est quand ?

c Comment c'est ?

3. Trouve la question.

→ *C'est le 24 décembre. / C'est quand Noël ?*

a. C'est génial !
b. Mon anniversaire est le 4 novembre.
c. Le matin du 25 décembre.
d. Je suis avec toute ma famille.

4. Interroge ton voisin.

→ *– Qui est avec toi pour Pâques ?*
– Je suis avec mes amis.

5. Pose à Laura d'autres questions sur les fêtes en France.

J'aime, j'adore, je déteste

(33) **1. Écoute et montre la bonne image.**

a 
b 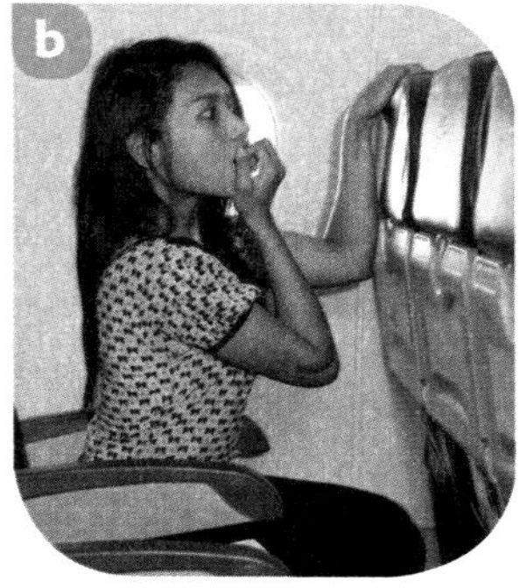
c 
d 

Exprimer ses goûts

Détester	**Aimer**	**Adorer**
Je déteste	J'aime	J'adore
Tu détestes	Tu aimes	Tu adores
Il / Elle / On déteste	Il / Elle / On aime	Il / Elle / On adore
Nous détestons	Nous aimons	Nous adorons
Vous détestez	Vous aimez	Vous adorez
Ils / Elles détestent	Ils / Elles aiment	Ils / Elles adorent

2. Choisis un cadeau pour les personnes ci-dessous. Utilise le lexique de l'encadré.

a. Mathilde adore écouter de la musique.
b. Lucie et Emma adorent surfer sur Internet.
c. Benjamin aime jouer avec les avions télécommandés.

Les cadeaux

un skateboard	un bracelet
un drone	un jeu vidéo
un smartphone	un manga
un bijou	un lecteur MP4

 **3. a. Cite pour toi...**

un cadeau super original ; un cadeau sympa ; un cadeau nul

b. Compare tes réponses avec ton/ta voisin(e).

4. Pour chaque image, écris une phrase avec *aimer*, *adorer* ou *détester* comme dans l'exemple.

a. 

b. *Ils adorent les jeux vidéo.*

c.

d. 

5. Sur un papier, écris un cadeau que tu aimes, adores ou détestes. Mélangez puis devinez l'auteur du papier.

→ *– C'est écrit « J'adore les mangas. »*
– Qui adore les mangas ?
– C'est Emma.
– Non c'est Mateo.
– Oui, c'est moi ! J'adore !

1. Écoute et réponds : vrai ou faux ?

34

a. Rafid veut une console de jeux vidéo.
b. Rafid veut fêter son anniversaire avec sa famille.

Le verbe « vouloir »

Je **veux**	Nous voul**ons**
Tu **veux**	Vous voul**ez**
Il / Elle / On **veut**	Ils / Elles veul**ent**

Les formules de politesse

On peut exprimer un souhait avec les expressions de politesse :

Papa, **j'aimerais** aller à la fête.

Je voudrais un nouveau smartphone pour mon anniversaire.

2. Interroge ton voisin.

→ *– Qu'est-ce que tu veux pour ton anniversaire ?*
– Pour mon anniversaire, je veux / je voudrais un drone avec une caméra intégrée.

3. Mimez à deux une activité à faire pendant une fête. La classe devine.

→ *– Vous voulez chanter ?*
– Non, nous voulons danser !

4. Observe les images. Qu'est ce qu'ils veulent ?

5. Lis le courriel et réponds.

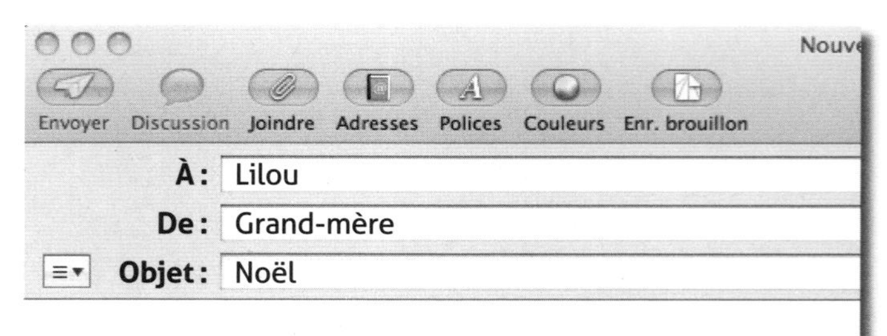

À : Lilou
De : Grand-mère
Objet : Noël

Coucou ma Lilou,

Comment vas-tu ? C'est bientôt Noël. Qu'est-ce que tu veux ? Tu as des idées pour tes frères et sœurs ?
Bisous,

Ta grand-mère

J'achète des cadeaux

35 **1. Écoute et montre la bonne image.**

a 

b 

c 

d 

Les magasins

la boucherie	le marchand de légumes
la boulangerie	la pâtisserie
le coiffeur	la pharmacie
la librairie	le supermarché
le marché	

Le verbe « acheter » au présent

J'achète	Nous achetons
Tu achètes	Vous achetez
Il / Elle / On achète	Ils / Elles achètent

2. Où on achète ces objets ? Utilise le lexique de l'encadré.

a 

b 

c 

d 

Demander le prix avec « combien »

Combien ça coûte, s'il vous plaît ?
C'est **combien**, s'il vous plaît ?

3. Recopie et complète le dialogue dans ton cahier avec le verbe « acheter ».

– Qu'est-ce que tu achètes pour Éva ?
– Je ne sais pas. Max ... quoi ?
– Un livre je crois.
– Romain et toi, tu ... quoi ?
– Avec Félix, nous ... un bijou.
– Ah c'est une bonne idée !

4. Observe les lots et dis le prix de la clé USB, du jeu vidéo et du manga.

5. Tu achètes un cadeau dans un magasin. Utilise les images de l'activité 4. Jouez la scène à deux.

Séance 5 Je donne un cadeau

1. Observe la photo et les deux encadrés et réponds : vrai ou faux ?

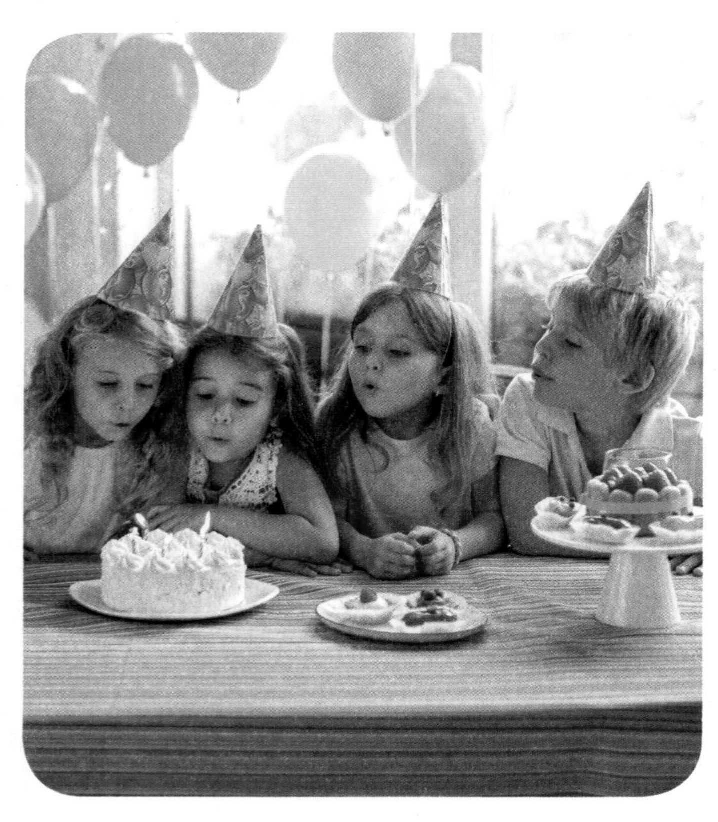

a. Les chapeaux sont sur les têtes.
b. Le gâteau est sous la table.
c. Les enfants sont derrière la table.

La fête

un gâteau	une guirlande
un cadeau	un ballon
un chapeau	une bougie

2. Retrouve les mots. Écris les mots dans ton cahier.

→ *deauca = cadeau*

a. giebou
b. tefê
c. teaugâ
d. landeguir

3. Écoute sur Internet la chanson « C'est la fête » de Michel Fugain et chante.

Les prépositions de lieu

4. Choisis un cadeau. Ton/Ta voisin(e) devine.

→ *– Il est sous le cadeau rouge ?*
– Oui.
– Il est sur le cadeau vert ?
– Oui !
– C'est le cadeau jaune !

5. Ton/Ta voisin(e) organise une fête. Il/Elle décrit la fête. Il utilise les deux encadrés. Écoute et dessine sur ton cahier, puis présente le résultat à ton/ta voisin(e).

36 **Phonétique**

Les sons [e], [ɛ] et [ə]

1. Écoute et répète
[e] « bonne ann**ée** » ; [ɛ] « la f**ê**te » ;
[ə] de « d**e**vant »

2. Recopie le tableau dans ton cahier. Écoute et fais une croix dans la bonne case.

	a.	b.	c.	d.	e.
[e]					
[ɛ]					
[ə]					

Fêtes et traditions

Il y a beaucoup de fêtes en France. Certains jours de fête, on ne va pas en classe et on ne travaille pas, mais pas tous ! Il y a aussi des traditions. Certaines sont très sympas ! Voici mon calendrier des fêtes et des traditions.

JANVIER

Pour l'Épiphanie, le 6 janvier, on mange la galette des rois. On cache une fève dans la galette. Tu as la part avec la fève? Tu deviens le roi ou la reine.

FÉVRIER

Pour la chandeleur, le 2 février, on mange des crêpes. On fait sauter les crêpes dans la poêle.

MARS-AVRIL

En France, à Pâques, on cache des œufs en chocolat dans les jardins. Les enfants cherchent les œufs et ensuite ils mangent les chocolats. Miam !

Le 1er avril, c'est le jour des farces. On colle des poissons en papier dans le dos de ses amis. Ce sont les poissons d'avril !

MAI

Le 1er mai, c'est la fête du Travail. Ce jour-là, on ne travaille pas et on offre un brin de muguet. Le muguet est un porte-bonheur.

Chaque année, le 8 mai, on commémore la fin de la Seconde Guerre mondiale. C'est important. On ne va pas en classe.

JUIN

Le 21 juin, c'est la fête de la musique. On joue de la musique dans la rue.

JUILLET

La fête nationale de la France, c'est le 14 juillet. Il y a des défilés militaires, des bals et des feux d'artifice dans toutes les villes.

NOVEMBRE

Chaque année, on commémore la fin de la Première Guerre mondiale le 11 novembre. C'est une date importante de l'histoire de France.

DÉCEMBRE

Noël, c'est le 25 décembre. Le 24 décembre, le soir, on donne les cadeaux et on mange de la bûche. C'est un gâteau en forme de tronc d'arbre. C'est très bon !

1. **Parmi ces fêtes et traditions, quelles fêtes on célèbre aussi dans ton pays ?**
2. **Présente une fête ou une tradition de ton pays.**

J'organise une grande tombola

Bonjour Alexis,
Samedi 25 mai, on organise dans notre collège une fête avec une tombola. Il y a beaucoup de lots à gagner : un lecteur DVD, des rollers, des lecteurs mp3, des mangas. Les billets coûtent 2 euros.
Voici l'affiche de la tombola.
Et dans ton école, vous organisez une fête ? Il y a une tombola ?
Salut !
Juliette.

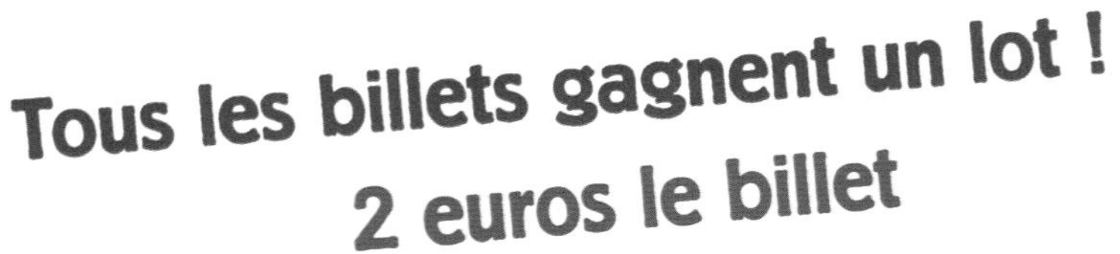

1er lot : un lecteur DVD

2e lot : des rollers

3e lot : une tablette numérique

et aussi des lecteurs mp3, des mangas...

et des surprises !!!

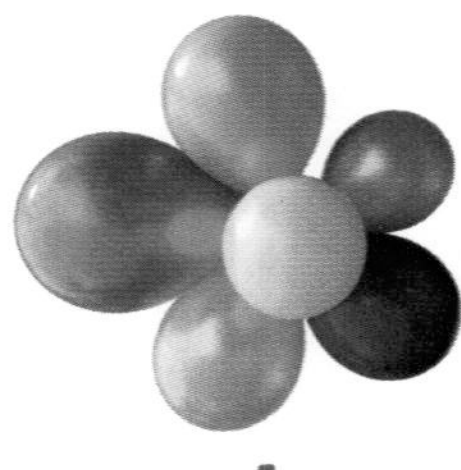

Tirage au sort le 25 mai, jour de la fête du collège !

- **Réponds aux questions suivantes :**
  - **Quand a lieu la tombola ?**
  - **Combien il y a de lots ?**
  - **Qui participe ?**
  - **Combien coûtent les billets ?...**
- **Cherche des images.**
- **Écris le texte de l'affiche.**
- **Réalise l'affiche.**
- **Envoie un mail avec l'affiche à ton/ta correspondant(e).**

Unité 5 — Drôle de famille

J'apprends à :
- présenter ma famille
- décrire mes amis
- dire ce que j'aime, ce que je n'aime pas
- parler du caractère
- parler des animaux de compagnie

Projet :
- Mon arbre généalogique

37 **Écoute et montre la bonne image.**

a

b

c

d

e

f

38 1. Écoute et montre les membres de ma famille.

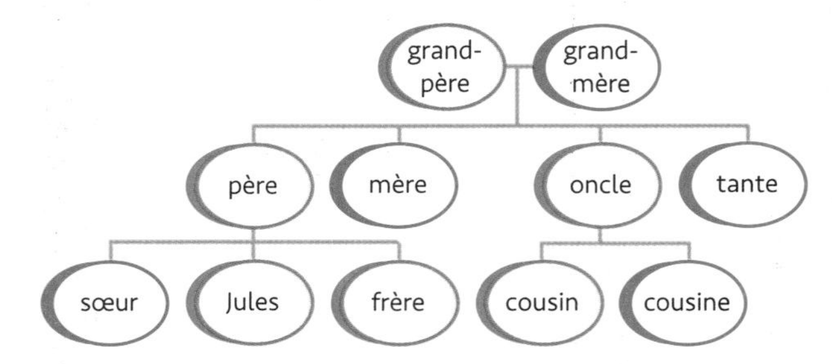

La famille

le grand-père	la grand-mère
le père	la mère
le frère	la sœur
l´oncle	la tante
le cousin	la cousine
le chien, le chat	

Les adjectifs possessifs*

Masculin	Féminin	Pluriel
mon frère	**ma** sœur	**mes** parents
ton oncle	**ta** tante	**tes** cousins
son cousin	**sa** cousine	**ses** amis

*Un seul possesseur

39 2. Écoute et associe avec la bonne image.

a

b

c

3. Lis et réponds.

FLASH ADO

Lio : sa priorité, ses enfants.

La chanteuse Lio parle de sa vie de famille.

Dans *TV Magazine*, la chanteuse évoque ses six enfants, Nubia (22 ans), Esmeralda (15 ans), Igor (16 ans), Diego (6 ans) et les jumelles Garance et Léa (10 ans). Avoir une famille nombreuse demande de l´organisation, confirme Lio : « Nubia a son appartement. Esmeralda est dans un internat : sa passion c´est l´équitation. Et Igor est apprenti à Angoulême. Dans mon appartement à Paris, j´habite avec mes jumelles et mon petit Diego. Ma mère habite chez moi. »

a. La chanteuse Lio a combien d´enfants ?
b. Nubia habite où ?
c. Quelle est la passion d´Esmeralda ?
d. Quels enfants habitent avec Lio à Paris ?

4. Présente ta famille.

Je suis grand et fort

1. Écoute et associe avec la bonne image. (40)

Les parties du corps

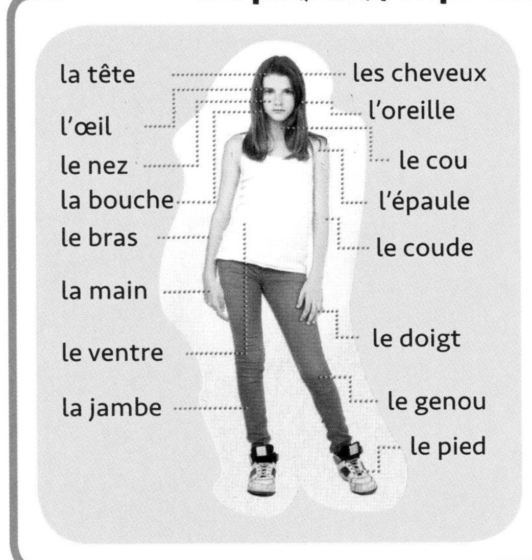

Le féminin des adjectifs réguliers

Masculin	Féminin
petit	petit**e**
grand	grand**e**
blond	blond**e**
brun	brun**e**
rond	rond**e**
fort	fort**e**
laid	laid**e**

2. Observe les personnages du *Petit Nicolas* et réponds.

a. Quelle est la couleur des cheveux de Nicolas ?

b. Qui est blond ?

3. Choisis un personnage de bande dessinée. Décris-le.

4. Écoute sur Internet la chanson « Beaux dimanches » d'Amadou et Mariam et chante.

 **5. Décris ta famille.**

Je préfère le rap

41 1. Écoute, observe et cherche l'erreur.

2. Écris des phrases avec les éléments du tableau.

→ *Sacha aime le rugby.*

	Les films de science-fiction	La musique classique	Le rugby
Sacha	☺	☹	☺
Fatima	☹	☹	☹
Léo	☹	☺	☹

3. Lis le document et réponds.

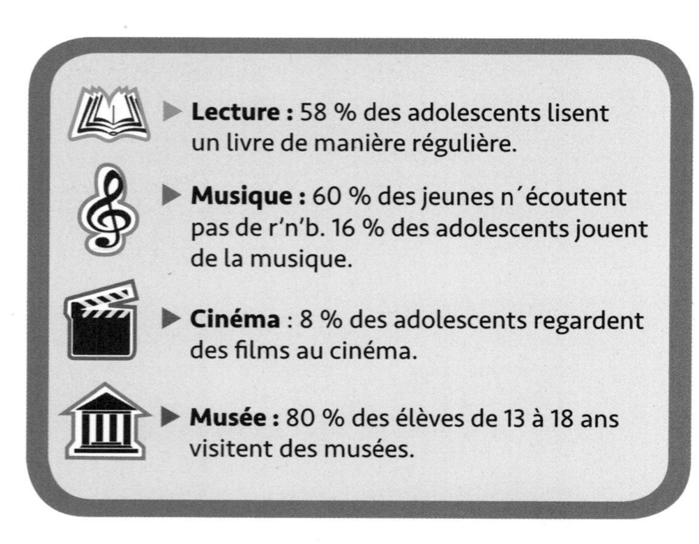

▶ **Lecture :** 58 % des adolescents lisent un livre de manière régulière.

▶ **Musique :** 60 % des jeunes n´écoutent pas de r'n'b. 16 % des adolescents jouent de la musique.

▶ **Cinéma** : 8 % des adolescents regardent des films au cinéma.

▶ **Musée :** 80 % des élèves de 13 à 18 ans visitent des musées.

a. Quel pourcentage d'adolescents ne lit pas régulièrement un livre ?
b. Quel pourcentage d'adolescents n´écoute pas de musique r'n'b ?
c. Combien de jeunes jouent de la musique ?

Le verbe « préférer » au présent

Je préfère	Nous préférons
Tu préfères	Vous préférez
Il / Elle / On préfère	Ils / Elles préfèrent

4. Lis les questions et réponds comme dans l'exemple.

→ *– Tu aimes mieux la danse ou les promenades ?*
– Moi, je préfère…

a. le cinéma ou les musées ?
b. les livres ou regarder la télé ?
c. danser ou écouter de la musique ?
d. écouter de la musique classique ou du rap ?

La négation

ne + verbe + **pas**

Je suis mince. ≠ Je **ne** suis **pas** mince.
J'aime le bleu. ≠ Je **n'**aime **pas** le bleu.

Attention « ne » devient « **n'** » avant une voyelle !

5. Interroge ton/ta voisin(e) sur ses goûts et ses préférences.

Je suis timide

42 **1. Écoute et montre les bons personnages.**

Les adjectifs de caractère

Masculin / Féminin	Invariable
compliqué(e)	simple
intelligent(e)	dynamique
patient(e)	sympathique
décontracté(e)	drôle
détendu(e)	triste
amusant(e)	timide
intéressant(e)	stupide
prudent(e)	agréable
	calme
	cool
	populaire

2. Regarde les photos. Écris le caractère.

→ *Il / Elle est…*

43 **3. Écoute et complète.**

→ *Mes amis sont sympathiques.*

a. Nous sommes un groupe… .
b. Vous êtes … .
c. Elles sont … .
d. Ils ne sont pas … .

4. Lis et réponds.

Caractère de 4 signes du zodiaque

Bélier, vous n´êtes pas discrets, mais vous êtes sympathiques.

Les lions, vous êtes prudents et patients.

Les scorpions, vous êtes compliqués et drôles.

Les poissons, vous êtes agréables et détendus.

a. Qui est patient ?
b. Qui est drôle ?
c. Qui est agréable ?
d. Qui est sympathique ?

5. Demande à un(e) camarade son signe du zodiaque. Présente ce signe du zodiaque avec deux adjectifs. Ces adjectifs correspondent au caractère de ton/ta camarade.

Séance 5 J'ai un hamster

1. Lis et associe chaque animal à sa photo.

Animal de compagnie — Rechercher un animal, des adresses...

www.animaldecompagnie.com

Tu as un animal de compagnie ? Tu aimes les animaux ? Ce forum est pour toi !

Lisa 12 ans - Paris
Bonjour, j'ai un poisson rouge, il est timide.

Mathieu 11 ans - Bruxelles
Moi, j'ai un chien et un hamster.

Théo 12 ans - Bordeaux
L'animal de compagnie de mon frère est lent : c'est une tortue !

Xavier 13 ans - Lausanne
Mon animal s'appelle Titi : c'est une perruche verte.

a b c d e

2. Participe au forum. Tu envoies un message.

Le pluriel des noms

Singulier	Pluriel
un ami	des ami**s**
une souris	des souri**s**
un cheveu	des cheveu**x**
un animal	des anim**aux**

44 **3. Écoute les mots. Lève la main si tu entends le pluriel.**

4. Lis le forum SPA et réponds.

www.forumspa.com — FORUM SPA

Auteur	Message
Morgane	Bonjour, j'ai 13 ans et j'adore les animaux. Je n'ai pas d'animaux. Chez ma tante, il y a plein d'animaux : un chien de 5 ans, il s'appelle Rouxi. Il est grand et drôle. Il y a aussi un chat sympathique et des poissons rouges calmes. Est-ce que je peux devenir jeune volontaire à la Société Protectrice des Animaux à 13 ans ?
Évelyne Responsable des jeunes volontaires	Les jeunes volontaires de la Société Protectrice des Animaux ont entre 11 et 17 ans. Sur Internet (www.jeunespa.spa.asso.fr/agir), tu cherches la société proche de ton domicile.

a. Quel âge a Morgane ?
b. À qui écrit Morgane ?
c. Quels animaux habitent chez Morgane ?
d. Quel est le caractère du chien de la tante de Morgane ?
e. À quel âge les jeunes peuvent être volontaires à la SPA ?

45 **Phonétique**

Les sons [ɔ̃], [ɑ̃] et [ɛ̃]

1. Écoute et répète
[ɔ̃] : poiss**on**, c**om**pagnie, b**on**jour
[ɑ̃] : t**an**te, l**en**t, gr**an**d
[ɛ̃] : pl**ein**, s**ym**pathique, **in**ternet

2. Écoute et dis si tu entends [ɔ̃], [ɑ̃] ou [ɛ̃].

Une famille sénégalaise

Bienvenue à l'hôtel familial de Nianing

Je m'appelle Kadim, j'ai 13 ans et j'habite avec ma famille dans l'hôtel familial de Nianing. Dans l'hôtel, les touristes habitent avec ma famille sénégalaise. Ils veulent découvrir ma culture, les rites et les paysages de ma région. C'est une expérience riche et inoubliable.

Ma mère — Moi — Mon père

Falou

Papé

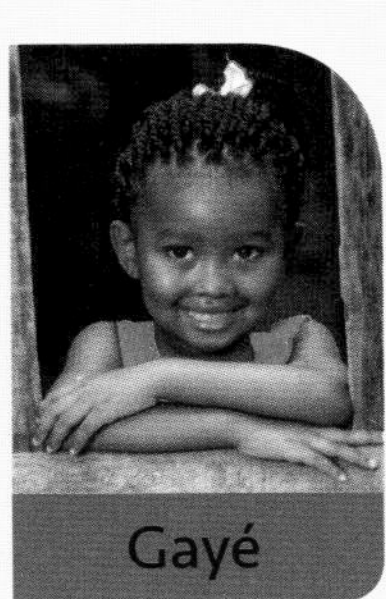

Gayé

Ma mère, Françoise, s'occupe de l'hôtel et elle prépare des plats typiques. Elle est très dynamique.

Mon père, Mokhtar, transporte les touristes de l'aéroport de Dakar à l'hôtel. C'est le guide de l'hôtel. Il est très intéressant.

Ce sont mes frères ! Le plus jeune s'appelle Falou, il est amusant. Le grand Papé est timide. Nous adorons le football. Ma sœur Gayé est la petite de la famille. Elle est souriante et intelligente.

1. **Où habite la famille de Kadim ?**
2. **Quels membres composent la famille de Kadim ?**
3. **Quel est le caractère des membres de sa famille ?**

Astou

Téné

Diagne

Ici, c'est ma tante Astou et mes cousines : la jeune Téné et Diagne.

Ma tante est très dynamique, elle prépare des repas sénégalais pour les touristes. Elle est très sympathique. Elle adore parler et danser.

Correspondre à travers le monde

Mon arbre généalogique

Mon **grand-père** Louis a 68 ans. Il est grand et mince. Il est agréable et sympathique.

Ma **grand-mère** Mathilde a 67 ans. Elle a les cheveux clairs. Elle est calme.

Mon **père** Fabien a 46 ans. Il est blond et grand. Il n'aime pas les films de science-fiction. Il est intelligent.

Ma **mère** Sylvie a 41 ans. Elle ne travaille pas. Elle a les cheveux noirs.

Mon **oncle** Cyprien est informaticien. Il a 37 ans. Il est intéressant.

Ma **tante** Séverine est blonde et mince. Elle est patiente. Elle a aussi 37 ans.

Ma petite **sœur** s'appelle Émilie. Elle est mince. Elle a 8 ans. Elle est amusante.

C'est **moi** Léo. J'ai 13 ans. J'ai les cheveux noirs. J'adore l'école. Je suis dynamique.

Ma grande **sœur** Lisa est super. Elle a 16 ans. Elle est timide.

Ma **cousine** Camille a les cheveux blonds. Elle a 10 ans et elle est drôle.

Mon **cousin** Enzo a 13 ans. Il est dans mon collège. Il est grand et il a les cheveux noirs. Il est cool.

- **Tu écris à ton/ta correspondant(e).**
- **Tu présentes ta famille.**
- **Tu utilises des adjectifs.**
- **Tu mets des photos (ou des dessins) des membres de ta famille.**

Unité 6

C'est bon !

J'apprends à :

- lire et à comprendre une recette et un menu
- parler des repas
- exprimer la quantité
- nommer des lieux où l'on mange
- compter de 60 à 100

Projet :

- Je suis un master chef junior

46 **Écoute et montre les aliments emportés au pique-nique par Lisa et Ludo.**

a

b

c

d

e

f

g

h

i

Qu'est-ce qu'on mange ?

47 1. **Écoute et dis les mots que tu connais.**

2. **Observe l'image et cite tes aliments préférés.**

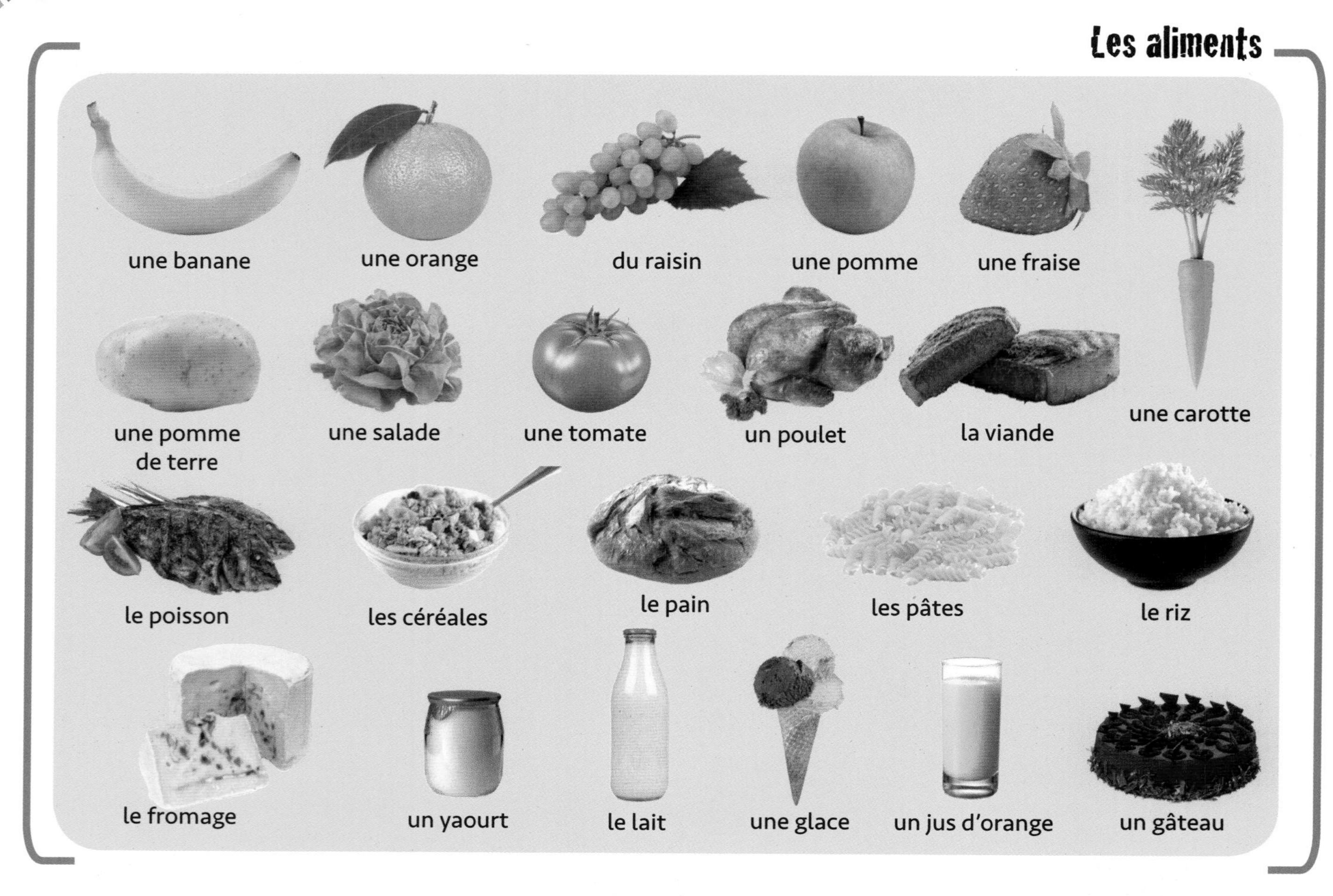

48 3. **Observe les images et écoute. Associe chaque aliment à un repas.**

Le matin, c'est le moment du petit déjeuner.

À midi, c'est le déjeuner.

L' après-midi, c'est le goûter pour les enfants.

Et le soir, c'est le dîner.

4. **Par petits groupes, élaborez la liste des aliments pour une fête avec des amis.**

Séance 2 Du jambon pour ma pizza

(49) **1. Écoute et observe. Montre les pizzas choisies par Emma, Louis et Victor.**

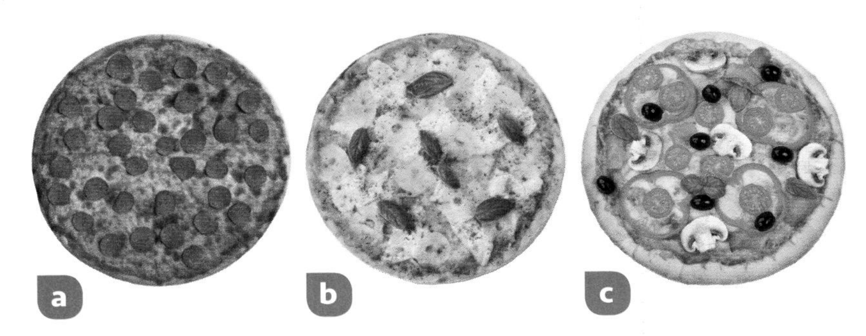

Les articles partitifs

	Masculin	Féminin
singulier	**du** lait	**de la** sauce
pluriel	**des** fruits	**des** olives

2. Observe l'image et compose ta pizza.

→ *Je prépare une pizza avec du jambon, du fromage et des olives.*

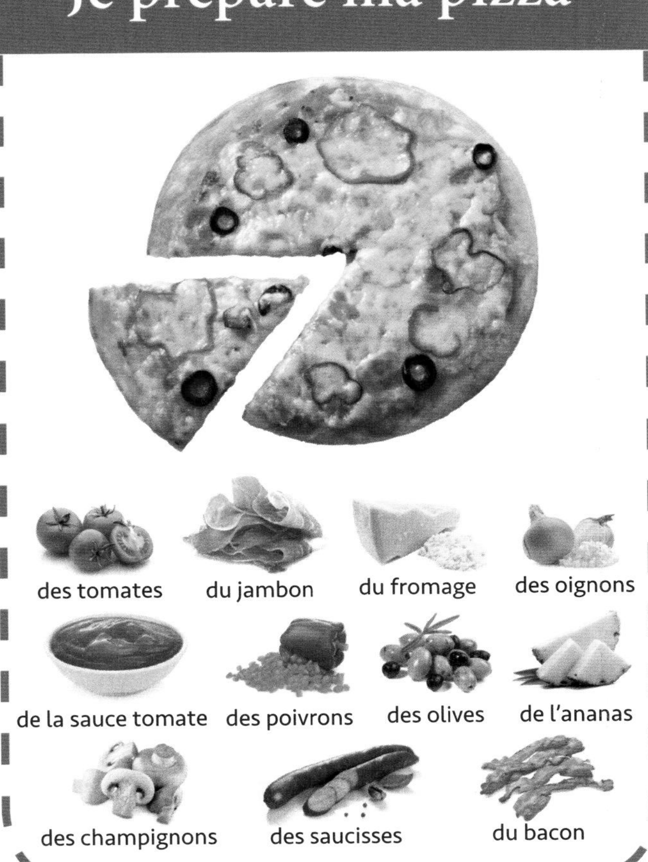

3. Observe l'image et complète les phrases.

a. On mange un yaourt avec une … .
b. Je coupe la viande avec un … .
c. Elle pique les tomates avec une … .
d. Je mange la soupe avec une … .
e. Je verse l'eau dans un … .
f. Les aliments sont dans l' … .
g. J'essuie ma bouche avec une … .

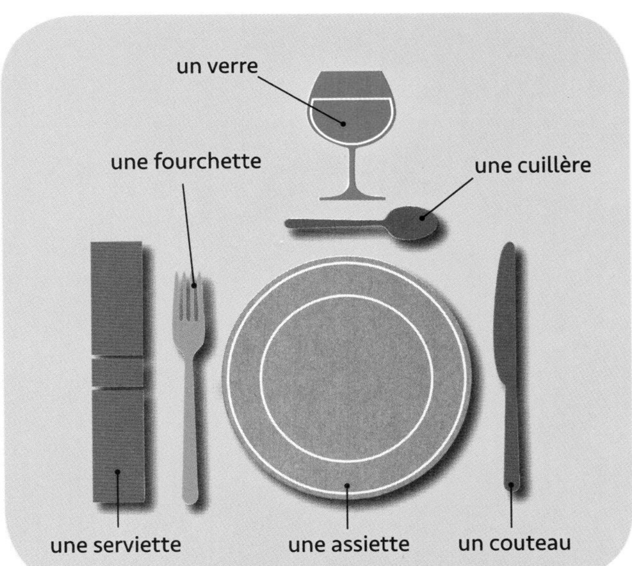

4. Tu commandes une (des) pizza(s) par téléphone. Indique le(s) type(s) et le nombre de pizza, les ingrédients supplémentaires et ton adresse.

(50) **Phonétique**

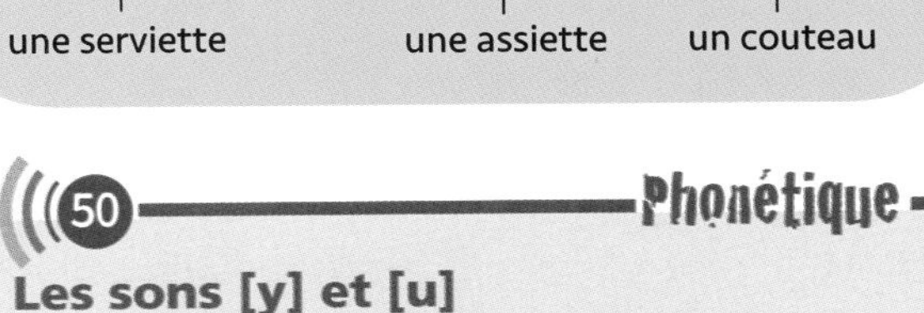

Les sons [y] et [u]

1. **Écoute et répète.**
   [y] : **ju**s d'orange, confit**u**re, **u**ne.
   [u] : p**ou**let, ya**ou**rt, c**ou**vert.
2. **Écoute et lève la main quand tu entends le son [u].**

Je prépare une recette

1. Lis rapidement ces nombres.

a. 60-10 =70
b. 4-20 = 80
c. 80-10 = 90

Les nombres de 60 à 100

60 : soixante	81 : quatre-vingt-un
61 : soixante et un	82 : quatre-vingt-deux
62 : soixante-deux	90 : quatre-vingt-dix
70 : soixante-dix	91 : quatre-vingt-onze
71 : soixante et onze	99 : quatre-vingt-dix-neuf
80 : quatre-vingts	100 : cent

51 **2. Écoute la recette de la quiche lorraine.**

a. Montre les ingrédients.

b. Écoute et mets les images dans l'ordre.

L'impératif des verbes en -er

Préparer

Prépare Préparons Préparez

L'impératif sert à donner des ordres, des instructions.

**3. Présente une recette de cuisine.
Utilise l'impératif.**

**4. Écoute sur Internet la chanson « Les cornichons » de Nino Ferrer.
Fais une liste des aliments de la chanson.**

1. **Fais le test et calcule tes points.**

Test
Qu'est-ce que tu manges ?

	Pas du tout	Un peu	Beaucoup
1. Tu manges de la viande, du poisson, des œufs ou de la charcuterie ?	●	◆	♥
2. Tu manges des pâtes, du riz ou des pommes de terre ?	●	◆	♥
3. Tu manges des légumes ou des fruits ?	●	◆	♥
4. Tu manges du fromage, du lait ou des laitages (yaourts, fromage blanc...) ?	●	◆	♥
5. Tu manges du pain ?	●	◆	♥
6. Tu manges des gâteaux ou des glaces ?	●	◆	♥
7. Tu manges entre les repas ?	●	◆	♥

Résultats du test
De 3 à 6 ● : Attention, ton alimentation n'est pas variée. De 3 à 6 ◆ : Tu as une bonne alimentation. De 3 à 6 ♥ : Ton alimentation est riche en vitamine.

52 2. **Écoute et réponds.**

a. Est-ce que Antoine et Pauline mangent des fraises avec beaucoup de sucre ?
b. Est-ce que Aurélien aime le pain avec un peu de chocolat ?

La quantité

Il y a **beaucoup de** fraises.
Il y a **peu de** fraises.
Tu manges **trop de** chocolat.

3. **Lis le document et réponds.**

Le petit déjeuner est important : il apporte beaucoup d'énergie. Mange un yaourt, une tartine de pain avec du beurre. Ajoute un bon chocolat chaud et un verre de jus d'orange.

Varie les aliments au déjeuner : viande ou poisson avec du riz ou des pâtes et des légumes. Mange aussi des fruits et un produit laitier.

Le goûter, c'est pour récupérer des forces. Un peu de chocolat, un fruit avec du lait.

Le soir, au dîner, mange varié mais léger ! Ne mange pas beaucoup car la nuit tu consommes peu d'énergie.

Et la boisson ! L'eau est très bonne pour la santé. Les jus de fruits apportent des vitamines. Le lait apporte du calcium. Attention avec les sodas : ils sont très sucrés !

a. Quel est le repas le plus important dans la journée ?
b. Qu'est-ce qui est important au déjeuner ?
c. Pourquoi tu manges un peu au goûter ?
d. Pourquoi il est important de manger léger au dîner ?
e. Qu'est-ce qu'apportent les fruits et le lait ?
f. Il faut boire peu de quelles boissons ? Pourquoi ?

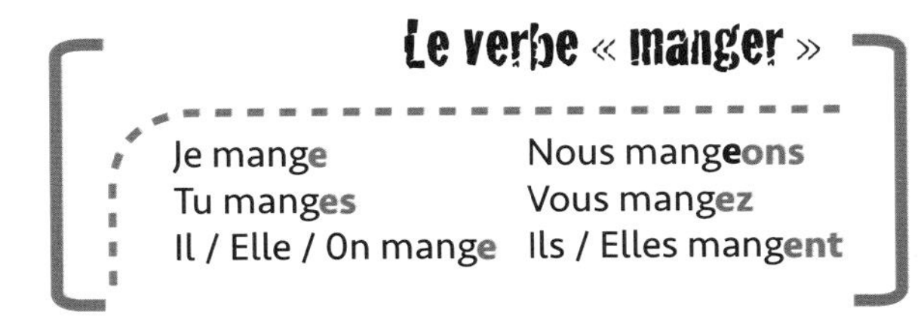

4. **En petits groupes, préparez une liste de conseils pour bien manger dans la journée.**

1. Écoute et montre les bonnes assiettes.

CANTINE DU COLLÈGE ANDRÉ MALRAUX
Vendredi 20 avril

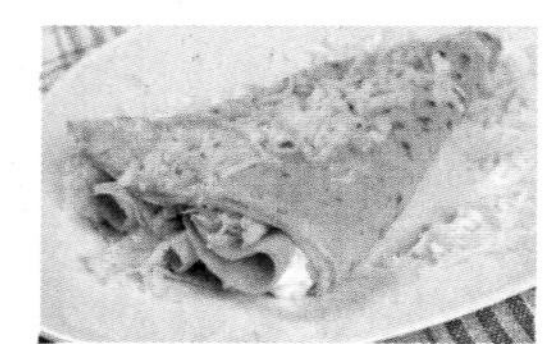

PLATS DU JOUR AU CHOIX

Il n'y a pas de

Il y a un gâteau. / Il **n'y a pas de** gâteau.
Il y a **du** chocolat. / Il **n'y a pas de** chocolat.
Il y a **de la** salade. / Il **n'y a pas de** salade.

2. Écoute et associe les textes aux images.

a. la maison

b. la cantine

c. le fast-food

d. le restaurant

3. Et toi tu préfères manger au restaurant, au fast-food, à la cantine ou à la maison ?

4. Lis l'article et donne ton avis.

FLASH ADO

Interdire les fast-foods aux mineurs ?

Le ministère de la Santé s'attaque aux habitudes alimentaires des adolescents. Depuis 2011, les mineurs n'ont pas le droit d'entrer seuls, sans un adulte, dans un fast-food. Les fast-foods proches des établissements scolaires (à moins de 2 km) sont fermés. Les infirmières scolaires pèsent toutes les semaines les élèves. L'évolution de la courbe de poids des élèves détermine le menu à la cantine : menu normal, menu XL, ou menu légumes/poisson. Qu'est-ce tu penses de ces mesures de lutte contre le surpoids ? Donne ton avis.

5. Lis le document, puis passe ta commande. Jouez la scène à deux.

Entrées	
Wrap tomates	3,95 €
Salade tomates mozzarella	2,95 €
Salade crudités	2,10 €

Plats	
Filet de saumon	8,50 €
Galette jambon œuf	7,50 €
Burger du chef	9,20 €
Steak frites	8,50 €

Desserts	
Gâteau au chocolat	4,75 €
Glace	4,80 €
Crêpe au sucre	3,70 €

Boissons	
Au choix : eau, soda, canette	1,95 €

Cuisine et téléréalité

Top Chef est une émission de téléréalité culinaire. Elle existe en France depuis 2010. À chaque édition, une quinzaine de candidats s'affrontent pendant plusieurs semaines. À la fin, il y a un seul gagnant.

La semaine, je regarde Top Chef à la télévision. Et le samedi, à la maison, c'est Top Chef. Il y a deux équipes : une équipe de cuisiniers. Ils préparent des plats. L'autre équipe, c'est le jury. Moi, je suis dans l'équipe du jury. J'adore goûter les plats !

Présentation de l'émission de télévision

Les candidats
Au départ, il y a environ 15 candidats, hommes et femmes. À la fin, il y a un seul gagnant. En général, les candidats travaillent déjà dans des restaurants. Certains candidats ont beaucoup d'expérience. D'autres sont encore débutants. Les plus jeunes candidats de Top Chef France sont Ruben Sarfati (édition 2012) et Jordan Vignal (édition 2014) : ils ont 18 ans.

Le jury c'est 4 ou 5 grands cuisiniers français. Par exemple, Hélène Darroze, Jean-François Piège, Philippe Etchebest...

Les plats
Les plats sont bons mais aussi très beaux. Ce sont de vrais plats de chefs. On trouve les recettes sur Internet. Ça donne faim !

Les épreuves
Les chefs proposent des épreuves variées. Par exemple, les candidats reproduisent les plats des grands chefs ; les candidats cuisinent à partir d'épluchures ; les candidats préparent un buffet pour la fête des voisins ; les candidats reconnaissent un plat par le toucher et le goût dans le noir, ensuite ils préparent le plat...

1. **Combien il y a de candidats au début de l'émission ?**
2. **Qui sont les membres du jury ?**
3. **Cite une épreuve de Top Chef.**
4. **Est-ce que tu connais des émissions de télévision sur la cuisine ?**

Entraînement au DELF A1

Compréhension orale

55 **1. Lis les questions. Écoute l'enregistrement puis réponds.**

1. À quelle date la cantine ferme ?
   a. le 12 novembre **b.** le 23 mars **c.** le 3 mai
2. Qu'est-ce qu'il y a à la boulangerie ?

a 

b 

c 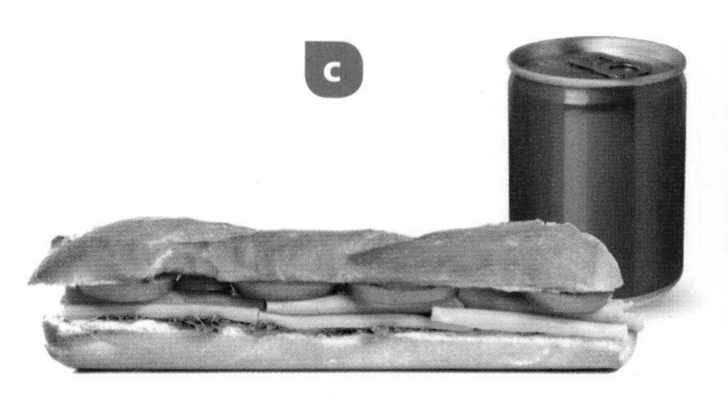

3. Combien coûtent les sandwichs ?
4. Où se trouve le snack « Le bahut » ?
   a. Place Jules Ferry **b.** Rue Jean Jaurès **c.** Place Victor Hugo
5. On peut manger une entrée et un plat à 12,50 euros :
   a. au snack « Le bahut ». **b.** au café Jaurès. **c.** à la cantine de l'école.

56 **2. Lis les questions. Écoute l'enregistrement puis réponds.**

1. C'est le répondeur de : **a.** Sarah. **b.** Océane. **c.** Noé.
2. Combien il y a de nouveaux garçons dans la classe d'Océane ?
3. Qui est cool ? **a.** Gabriel **b.** Noé **c.** Ethan
4. Qui est Gabriel ?

a 

b 

c 

5. Océane préfère : **a.** Noé. **b.** Gabriel. **c.** Ethan.

Compréhension écrite

Lis la recette et réponds aux questions.

La tarte aux pommes

Préparation : 15 minutes
Cuisson : 40 minutes

Ingrédients pour 6 personnes :
- 1 pâte à tarte
- 4 pommes
- 1 œuf
- 10 cl de crème fraîche
- sucre

1. Étalez la pâte dans le moule à tarte. Piquez la pâte avec une fourchette.
2. Coupez les pommes.
3. Posez les pommes sur la pâte.
4. Dans un saladier, mélangez l'œuf et la crème fraîche.
5. Versez le mélange sur les pommes.
6. Ajoutez le sucre.
7. Et hop, au four 40 minutes à 180° C !

Bon appétit !

1. Quelle est la durée totale de la recette ?
   a. 15 minutes **b.** 40 minutes **c.** 55 minutes
2. Quels sont les ingrédients de la recette ? (plusieurs réponses possibles.)

3. Il y a combien de pomme ?
   a. 1 **b.** 2 **c.** 3
4. Le gâteau va 40 minutes dans :

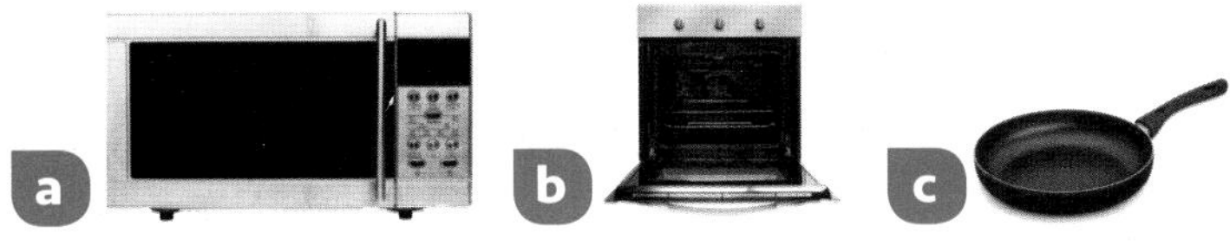

5. Le gâteau est pour combien de personnes ?

Production orale

▶ Entretien dirigé

Réponds aux questions de l'examinateur.
- Parle-moi de ta famille.
  - Tu as des frères et sœurs ?
  - Comment ils s'appellent ?
  - Ils ont quel âge ?
- Quel caractère tu n'aimes pas ? Pourquoi ?

▶ Dialogue simulé

**Samedi, c'est l'anniversaire de ton père.
Tu cherches un cadeau avec ton frère/ta sœur dans un magasin.**

Production écrite

Présente ta famille dans une lettre à ton/ta correspondant(e). Donne des informations sur tes parents, l'âge et le caractère de tes frères et sœurs, ton animal de compagnie... (40 mots minimum)

Correspondre à travers le monde

Je suis un master chef junior

Aujourd´hui, je prépare un gâteau au chocolat.

Les ingrédients sont :

- 200 g de chocolat
- 4 œufs
- 125 g de beurre
- 200 g de sucre en poudre
- 100 g de farine
- un sachet de levure

1. Prépare les ingrédients.

4. Mélange dans un saladier les œufs, le sucre, la levure et la farine.

2. Préchauffe le four à 180 degrés.

5. Verse le chocolat fondu dans le saladier.

6. Fais cuire pendant 25 minutes dans le four.

3. Fais fondre le chocolat avec le beurre.

- **Tu présentes ta recette préférée.**
- **Tu réalises un reportage.**
- **Tu indiques les ingrédients.**
- **Tu expliques les différentes étapes.**
- **Tu mets des photos (ou des dessins) des différentes étapes.**

Grammaire

Les articles

Les articles indéfinis

Masculin	Féminin	Pluriel
un	**une**	**des**
un cadeau	*une tablette*	*des cadeaux / des tablettes*

Les articles définis

Masculin	Féminin	Pluriel
le / l'	**la / l'**	**les**
le tableau	*la gomme*	*les crayons*
l'élève	*l'enseignante*	*les élèves*

Les articles partitifs

	Masculin	Féminin
Singulier	**du** chocolat	**de la** farine
Pluriel	**des** fruits	**des** tomates

Le genre et le nombre

Le féminin des adjectifs réguliers

Masculin	Féminin
petit	petit**e**
grand	grand**e**
blond	blond**e**
fort	fort**e**

Le pluriel des noms

Singulier	Pluriel
un ami	des ami**s**
une souris	des souri**s**
un cheveu	des chev**eux**
un animal	des anim**aux**

Les adjectifs possessifs

Un seul possesseur

Masculin	Féminin	Pluriel
mon frère	**ma** sœur	**mes** parents
ton oncle	**ta** tante	**tes** cousins
son cousin	**sa** cousine	**ses** amis

Les prépositions de lieu

devant, derrière, sur, sous

devant derrière

sur

sous

La négation

ne ... pas

ne + verbe + **pas**

Je suis mince. ≠ Je **ne** suis **pas** mince.

J'aime le bleu. ≠ Je **n'**aime **pas** le bleu.

Attention « **ne** » devient « **n'** » avant une voyelle !

Je suis grand.

Je ne suis pas grand.

Grammaire

Poser une question et répondre

Interroger sur une personne

Qui c'est ?/ C'est **qui ?**
→ **C'est** Mathias ! / **Voici** Mathias !

Interroger sur une date

Quand tu ouvres les cadeaux ?
Quand c'est Noël ?
→ C'est le 25 décembre.

Interroger sur quelque chose

Comment c'est ? / **Qu'est-ce que c'est ?**
→ C'est un livre. / Ce sont des livres.

Demander le prix

Combien ça coûte ? / C'est **combien ?**
→ C'est 10 euros.

Demander la permission

Est-ce que je peux entrer ? / Je peux entrer ?
→ Oui, c'est autorisé. / Oui, c'est possible.
→ Non, c'est interdit.

Conjugaison

Le présent de l'indicatif

Être
Je **suis**
Tu **es**
Il / Elle / On **est**
Nous **sommes**
Vous **êtes**
Ils / Elles **sont**

Avoir
J'**ai**
Tu **as**
Il / Elle / On **a**
Nous av**ons**
Vous av**ez**
Ils / Elles **ont**

Détester
Je détest**e**
Tu détest**es**
Il / Elle / On détest**e**
Nous détest**ons**
Nous détest**ez**
Ils / Elles détest**ent**

Acheter
j'ach**è**t**e**
tu ach**è**t**es**
Il / Elle / On ach**è**t**e**
Nous ach**e**t**ons**
Nous ach**e**t**ez**
Ils / Elles ach**è**t**ent**

Préférer
Je préf**è**r**e**
Tu préf**è**r**es**
Il / Elle / On préf**è**r**e**
Nous préf**é**r**ons**
Vous préf**é**r**ez**
Ils / Elles préf**è**r**ent**

Aimer
J'aim**e**
Tu aim**es**
Il / Elle / On aim**e**
Nous aim**ons**
Vous aim**ez**
Ils / Elles aim**ent**

Manger
Je mang**e**
Tu mang**es**
Il / Elle / On mang**e**
Nous mang**eons**
Vous mang**ez**
Ils / Elles mang**ent**

Vouloir
Je v**eux**
Tu v**eux**
Il / Elle / On v**eut**
Nous voul**ons**
Vous voul**ez**
Ils / Elles **veulent**

L'impératif des verbes « -er »

Écouter
Écout**e**
Écout**ons**
Écout**ez**

Montrer
Montr**e**
Montr**ons**
Montr**ez**

Transcriptions

Unité 1

1 ACTIVITÉ PAGE 6

a. Hablo español.
b. Ich spreche deutsch.
c. Falo português.
d. Je parle français.
e. Parlo italiano.
f. Miláo elliniká (Μιλάω ελληνικά)
g. I speak english.
h. Wǒ shuō hàn yǔ (我说汉语).
i. أنا أتحدث العربية

2 ACTIVITÉ 1, PAGE 7

un taxi – un bus – un métro – un avion – un soda – un thé – un café – une baguette – un croissant – une pharmacie – un cinéma

3 ACTIVITÉ 2, PAGE 7

a. *bruitage d'un avion qui décolle*
b. *bruitage d'un bus qui ferme ses portes et démarre*
c. *bruitage d'un soda que l'on décapsule puis boit*

4 PHONÉTIQUE, PAGE 7

L'accent tonique
*un mé**tro***
un av**ion** – un ta**xi** – un mé**tro** – un croi**ssant** – une ba**guette**

5 ACTIVITÉ 1, PAGE 8

A B C D E F G H I J K L M N O P Q R S T U V W X Y Z

6 ACTIVITÉ 1, PAGE 9

a. Écoutez le dialogue et répondez aux questions.
b. Ouvrez votre livre et lisez le texte.
c. Écrivez la phrase dans votre cahier.
d. Regardez le tableau.
e. Répétez après moi, s'il vous plaît.

7 ACTIVITÉ 2, PAGE 9

a. Parlez plus fort.
b. Merci ! Bravo !
c. Silence !!!!!!!!!!!!

8 ACTIVITÉ 3, PAGE 9

a. Théo et Pauline… écrivez, s'il vous plaît !
b. Répondez à la question, s'il vous plaît !
c. Kenza, tu dors ??? Réveille-toi, s'il te plaît !
d. Léo, le téléphone portable en classe… non !

9 ACTIVITÉ 1, PAGE 10

a. – C'est à quelle page s'il te plaît ?
– C'est à la page 12.
– Merci.
b. Ça s'écrit comment « septembre » ?
c. Je ne comprends pas. Vous pouvez répétez, s'il vous plaît ?
d. Je peux aller aux toilettes, s'il vous plaît ?

10 ACTIVITÉ 2, PAGE 10

a. Je peux aller aux toilettes ?
b. Je ne comprends pas. Vous pouvez répéter ?
c. C'est à quelle page du livre ?
d. Ça s'écrit comment « téléphone » ?

11 ACTIVITÉ 3, PAGE 10

a. Vous pouvez répéter, s'il vous plaît ?
b. Ouvrez votre livre.
c. Ça s'écrit comment ?
d. Écoutez et répétez après moi.
e. Inès, tu peux venir au tableau, s'il te plaît ?
f. Je ne comprends pas.

Unité 2

12 ACTIVITÉ PAGE 13

a. – Bonjour Théo.
– Bonjour Emma.
b. – Comment ça va Manon ?
– Ça va super, merci !
c. – Salut je m'appelle Chloé. J'habite à Paris.
d. – C'est qui ?
– C'est Astérix et Obélix.
e. – Au revoir !
– Salut, ciao, bye bye !

13 ACTIVITÉ 1, PAGE 14

– Salut Sandra !
– C'est qui ?
– Humm humm…
– C'est Manon ?
– Non !
– C'est Amaya ?
– Non !
– C'est Lydia ?
– Non !!! C'est moi !!!
– Ah, c'est toi Kiara ?!
– Oui et voici Jade à bicyclette !

Transcriptions

14 ACTIVITÉ 3 PAGE 14

- – C'est qui ?
  – C'est Théo !
- – Voici Mathias !!!
  – Ah, non c'est Théo...
- C'est toujours Théo !!!
- C'est qui, c'est Théo ?
- Voici Théo !

15 ACTIVITÉ 1, PAGE 15

1. – Bonjour monsieur Lebrun.
   – Bonjour Hugo. Comment vas-tu ?
   – Très bien.
   – Parfait ! Au revoir.
2. – Salut Matteo !
   – Aïe, aïe, aïe....
   – Ça va ?
   – Non, ça va mal !!!
   – Hein ?
   – Mon pied !!!
3. – Salut Lucas,
   – Salut Anaïs, comment ça va ?
   – Super ! Et toi ?
   – Ça va bien, merci.
   – Ah, c'est mon bus ! Salut.

16 ACTIVITÉ 3, PAGE 15

Comment ça va ?

Ça va mal !

Bof !

Ça va bien !

Ça va super !

17 ACTIVITÉ 1, PAGE 16

– Allô ?
– C'est qui ?
– Quoi ??? Comment tu t'appelles ?
– Je m'appelle Jules.
– C'est qui ?!
– Jules : J U L E S !!!
– Jules ?
– C'est Emma ?
– Non, je m'appelle Marie.
– Ah, zut... c'est une erreur !

18 ACTIVITÉ 1, PAGE 17

– C'est qui ta correspondante, Jade ?
– Elle s'appelle Joy.
– C'est son prénom ?
– Oui et son nom de famille c'est... Smith. Joy Smith.
– Elle est américaine ?
– Non elle est anglaise. Et toi ?
– Mon correspondant, il est italien. Ah il est là ! Bonjour, tu es Lorenzo ?
– Oui, je suis Lorenzo Jacomino.
– Bienvenue, moi c'est Hugo !

19 ACTIVITÉ 2, PAGE 17

a. Elle est française. / Il est français.
b. Elle est italienne. / Il est italien.
c. Elle est suisse. / Il est suisse.
d. Elle est américaine. / Il est américain.
e. Elle est espagnole. / Il est espagnol.
f. Elle est belge. / Il est belge.

20 PHONÉTIQUE, PAGE 17

Le son [ʒ]

Je m'appelle Julie Jacob, je suis belge.

Unité 3

21 ACTIVITÉ PAGE 21

– Salut, moi c'est Nicolas. J'ai 8 ans.
– Je suis Yoda. J'ai 900 ans !
– Bonjour. Je suis Homer Simpson. Samedi c'est mon anniversaire, j'ai 39 ans.
– Nous sommes les inspecteurs Dupond et Dupont. Nous avons 46 ans.
– Moi, je suis James Bond ! Mon âge est secret !!!

22 ACTIVITÉ 1, PAGE 22

– Chloé, tu peux écrire la date au tableau, s'il te plaît ?
– Heu oui... mais... nous sommes quel jour, madame ?
– Eh bien, tu regardes le calendrier.
– Nous sommes le... vendredi 31 octobre. Ah, c'est la fête de Quentin !
– Bonne fête, Quentin !
– Merci.
– Vous connaissez les dates importantes en France ?
– Oui, non...
– Par exemple le 14 juillet, c'est la fête nationale. Et le 2 février ?
– C'est la Chandeleur !
– Très bien !
– C'est quand la fête de la musique en France, madame ?
– La fête de la musique c'est le 21 juin.

Transcriptions

23 ACTIVITÉ 4, PAGE 22

– C'est quand la fête d'Axel ?
– C'est dans 11 jours.

Dans 11 jours... Nous sommes le samedi 9 septembre donc, dimanche 10, lundi [...], mardi 12, mercredi [...], jeudi 14, vendredi [...], samedi 16, dimanche 17, lundi [...], mardi [...], mercredi 20 et jeudi [...], vendredi 22 et samedi 23 !

24 ACTIVITÉ 1, PAGE 23

1. – Salut Léa, bon anniversaire !
– Merci Jade.
– Tu as quel âge ?
– J'ai 14 ans !
– Waouh ! Oh, elle est géniale ta piscine !

2. – Le 18 novembre nous avons 14 ans.
– Vous avez la même date d'anniversaire, c'est génial !
– Eh oui, nous sommes jumeaux ! Nous organisons une fête pour notre anniversaire.
– Super !

3. – Surprise !!!
– Oh... merci !
– Bon anniversaire Manon !

4. – C'est l'anniversaire de Théo aujourd'hui.
– Bon anniversaire Théo !
– Tu as quel âge ?
– J'ai 12 ans.
– On chante « Bon anniversaire » ?
– Oui, bonne idée !
– Joyeux anniversaire, joyeux anniversaire, joyeux anniversaire Théo, joyeux anniversaire !

25 PHONÉTIQUE, PAGE 23

Les sons [s] et [z]

[s] = **S**alut comment **ç**a va ?
[z] = Bien ! En**z**o et moi nou**s a**vons trei**ze a**ns aujourd'hui.

a. Ce sont mes amis.
b. Ils ont 13 ans.
c. Ils sont japonais.
d. Ils habitent à Tokyo.

26 ACTIVITÉ 1, PAGE 24

– Léa voici un cadeau pour tes études.
– Qu'est-ce que c'est ?
– Hum hum...
– C'est un ordinateur portable ?
– Non...
– C'est une tablette ?
– Non...
– Hummm, ce sont des livres, des cahiers ?
– Non, ouvre !
– Un CD ? Qu'est-ce que c'est ?
– C'est un logiciel pour apprendre les maths !
– Ah cool... j'adore les maths !

27 ACTIVITÉ 2, PAGE 24

Attention, le jeu commence !

un stylo – une trousse – une règle – un crayon – un taille-crayon – un livre – une gomme

28 ACTIVITÉ 1, PAGE 25

– Aïe !
– Ça va Zoé ?
– Non Tom. Ah, mon sac !!!
– Désolé Zoé. Le stylo violet est à toi ?
– Oui, le stylo violet est à moi et les ciseaux verts aussi.
– La règle blanche est à moi.
– Oui et le livre bleu, c'est à qui ?
– C'est mon livre de maths.
– Oh zut, maintenant je suis en retard !!!

29 ACTIVITÉ 3, PAGE 26

Exemple : – Est-ce que je peux crier dans la classe ?
– Non, crier dans la classe est interdit.

– Est-ce que je peux téléphoner en classe ?
– Est-ce que je peux fumer dans le collège ?
– Est-ce que je peux surfer sur Internet au collège ?

30 ACTIVITÉ 1, PAGE 28

Bienvenue au centre sportif de la Bouille. Nous sommes ouverts les jeudis, vendredis, samedis et dimanches. Attention, le centre est fermé en décembre. Pour avoir les animateurs, merci d'appeler le 02 35 24 59 13. Bonne journée.

31 ACTIVITÉ 2, PAGE 28

1. – Quelle est ta nationalité ?
– Je suis chinois et toi ?
– Je suis française.

2. – Comment tu vas ?
– Très bien et toi ?
– Bof.

3. – Voici ton cadeau.
– Joyeux anniversaire Manon !
– Oh, merci.

4. – Qu'est-ce que c'est ?
– C'est la cathédrale Notre Dame.
– Waouh !

5. – Papa, est-ce que je peux aller au cinéma avec Hugo ?
– Bon, on est samedi... d'accord.

Transcriptions

Unité 4

32 ACTIVITÉ PAGE 31

a. Pour mon anniversaire, j'invite des amis.
b. Je fête Noël en famille.
c. À Pâques, j'adore les œufs en chocolat !
d. J'aime donner des cadeaux.

33 ACTIVITÉ 1, PAGE 33

1. – Tu aimes choisir les cadeaux sur Internet ?
   – Oui, j'adore !
2. Hummm, j'adore les gâteaux !
3. Nous adorons avoir des cadeaux à Noël !
4. Elle déteste prendre l'avion.

34 ACTIVITÉ 1, PAGE 34

– Bonjour, tu veux bien répondre à mes questions, c'est pour RadioMax ?
– Oui d'accord.
– Tu t'appelles comment ?
– Rafid.
– Parfait ! Rafid qu'est-ce que tu veux pour ton anniversaire ?
– Je voudrais une nouvelle console de jeux. J'adore les jeux vidéo !
– Et tu invites tes amis ?
– Nous voulons aller en discothèque avec mes amis !
– Vos parents sont d'accord ?
– Ben... non, parce que nous avons 13 ans...

35 ACTIVITÉ 1, PAGE 35

1. – Oh ces bijoux, ils sont magnifiques ! J'achète le bracelet pour Marine.
   – Oh oui, bonne idée !
   – Bonjour madame, combien coûte le bracelet, s'il vous plaît ?
   – 35 euros.
   – Parfait !
2. – Bonjour madame, j'aimerais du papier cadeaux, s'il vous plaît.
   – Oui bien sûr, nous avons plusieurs couleurs, jaune, rouge, bleu...
   – Le rouge, s'il vous plaît.
   – Voici.
   – Combien ça coûte ?
   – C'est 2 euros 60.
   – Merci, au revoir.
   – Au revoir.
3. – On va dans ce magasin ? J'aimerais acheter un MP4 à Valentin pour Noël !
   – D'accord et moi je voudrais acheter un jeu vidéo à Lucie.
   – Bien ! Nous achetons un MP4 et un jeu vidéo.
4. – Bonjour.
   – Bonjour madame, je voudrais un croissant et une baguette, s'il vous plaît.
   – Voici !
   – C'est combien, s'il vous plaît ?
   – 2 euros 30.
   – Merci et bonne journée !

36 PHONÉTIQUE, PAGE 36

Les sons [e], [ɛ] et [ə]

[e] de « Bonne ann**ée** »
[ɛ] de « la f**ê**te »
[ə] de « d**e**vant »

a. père Noël
b. Bonne fête !
c. la guirlande rouge
d. un chapeau sur la tête
e. un cadeau pour Léa

Unité 5

37 ACTIVITÉ PAGE 39

Mon grand père est génial. Il adore le rock.
Ma grand-mère est dynamique. Avec son vélo, elle participe au tour de France.
Mon père est dans la lune. Il est astronaute.
Ma mère est une artiste. C´est une diva.
Mon frère est cool. Il est top model.
Ma sœur est dans une équipe de rugby.

38 ACTIVITÉ 1, PAGE 40

Je m'appelle Jules.
Montre mon père.
Montre mon grand-père.
Montre mon cousin.
Montre ma tante.
Montre ma mère.
Montre mes parents.
Montre ma sœur.
Montre mon oncle.
Montre ma grand-mère.
Montre ma cousine.
Montre mon frère.

39 ACTIVITÉ 2, PAGE 40

1. J´habite à Toulouse avec ma mère et ma sœur. Mon frère étudie à l´université, il habite chez mes grands-parents à Paris.

2. Ma correspondante est espagnole. Elle a deux sœurs. Elles adorent la musique. Elle a un chien et un chat.
3. Génial, ton cousin et ta cousine aiment la musique techno, moi aussi !

40 ACTIVITÉ 1, PAGE 41

a. J´ai de grandes oreilles, les cheveux bruns, un gros nez, des bras longs et je suis gros. Qui suis-je ?
b. Je suis mince, j´ai les cheveux longs, une grosse tête, de grandes oreilles et un gros nez. Qui suis-je ?
c. Mes jambes sont petites, j´ai une grosse tête, je suis mince et mes cheveux sont blonds. Qui suis-je ?
d. Je suis grande et mince, j´ai des petits yeux, un petit nez et une grande bouche. Qui suis-je ?

41 ACTIVITÉ 1, PAGE 42

– Gabriel, dans ta famille, qu´est-ce que vous préférez ?
– Dans ma famille, mon père aime le rugby et moi je préfère le football. Mon frère Mathieu n'aime pas le sport, il préfère la musique. Avec mon cousin Hugo, nous aimons les randonnées à la montagne.

42 ACTIVITÉ 1, PAGE 43

– Hé Gaël, regarde le groupe, ce sont de nouveaux élèves ?
– Non Sébastien, ce ne sont pas des nouveaux élèves, c´est un groupe d´élèves étrangers. Ils visitent le collège. Ils habitent en Roumanie.
– Le grand blond est sympathique, non ?
– Oui, il s´appelle Sorin et il est intelligent. C´est un crack en maths !
– Wouah !
– La petite c´est Ada. Elle est dynamique, mais timide. Le garçon décontracté avec les lunettes et les cheveux frisés, c´est Andrei et l´autre fille c´est Théodora, elle s´intéresse au cinéma. Elle est amusante.
– Génial ! De nouveaux copains.

43 ACTIVITÉ 3, PAGE 43

Exemple : Mes amis sont sympathiques.

a. Nous sommes un groupe amusant.
b. Vous êtes cool.
c. Elles sont intelligentes.
d. Ils ne sont pas timides.

44 ACTIVITÉ 3, PAGE 44

a. le chat
b. les souris
c. des poissons
d. l´hôpital
e. les animaux
f. les tortues
g. des cheveux
h. un lapin
i. un nez
j. des journaux

45 PHONÉTIQUE, PAGE 44

Les sons [ɔ̃], [ɑ̃], [ɛ̃]

[ɔ̃] : poisson, compagnie, bonjour
[ɑ̃] : tante, lent, grand
[ɛ̃] : plein, sympathique, Internet

a. Arthur est décontracté.
b. Elle est mince.
c. J'ai 13 ans.
d. Elle est grande.
e. C'est intéressant.

Unité 6

46 ACTIVITÉ PAGE 47

– Ludo, pour le pique-nique, qu'est-ce qu'on emporte ?
– Des chips ! J'adore les chips avec le poulet.
– D'accord pour les chips, mais pas le poulet. On emporte des sandwichs.
– Oui Lisa, des sandwichs au jambon et au fromage avec de la baguette ! Et on prépare aussi une grosse salade.
– La salade ? Ce n'est pas pratique pour un pique-nique, mais des petites tomates, c'est bien.
– Parfait. Et pour le dessert ?
– Un gros gâteau au chocolat avec de la crème ! Non, je plaisante ! On emporte des bananes.
– Et on ajoute un paquet de gâteaux.
– Moi pour le pique-nique, je veux des spaghettis bolognaise !
– Mais Alex ça ne va pas, tu es complètement fou !

47 ACTIVITÉ 1, PAGE 48

– Gaëtan, voilà un stylo et du papier, tu notes la liste des courses s'il te plaît. Alors, tu achètes pour le petit déjeuner des croissants, une baguette, de la confiture et du chocolat pour le lait. Pour le déjeuner, tu achètes une salade, 3 kilos de pommes de terre, des fraises, des yaourts et de l´huile d´olive.
– Ok maman, c´est bon. À tout à l´heure.

48 ACTIVITÉ 3, PAGE 48

a. une salade de tomate
b. une pomme
c. un yaourt
d. de la confiture
e. des haricots verts
f. du cacao

Transcriptions

g. du poisson
h. du chocolat
i. du poulet
j. des frites
k. de la tarte aux pommes
l. du beurre
m. de la soupe

49 ACTIVITÉ 1, PAGE 49

- Qu'est-ce que vous voulez ?
- Pour moi, une pizza hawaï avec de la tomate de l'ananas et du fromage.
- Moi, je voudrais une pizza avec du jambon, des tomates, des olives, des champignons et du fromage.
- Une pizza reine.
- Oui, c'est ça !
- Et pour toi ?
- Je préfère une pizza César, avec de la saucisse, du fromage et des oignons.

50 PHONÉTIQUE, PAGE 49

Les sons [y] et [u]

[y] : jus d'orange, confiture, une
[u] : poulet, yaourt, couvert

a. la soupe
b. du pain
c. la fourchette
d. le couteau
e. le menu
f. la bouche
g. le goûter
h. le jus

51 ACTIVITÉ 2, PAGE 50

Bienvenue dans notre émission « Top chef Ados ». Aujourd'hui, nous proposons une recette traditionnelle française : la quiche lorraine au fromage. C´est une recette simple et super bonne !

Les ingrédients :

4 œufs, 1 pâte à tarte, 20 cl de crème fraîche, 100 g de lardons, 150 cl de lait, 90 g de gruyère, du poivre et de la noix de muscade.

Bon maintenant, la préparation de la quiche.
- Étale la pâte dans une moule à tarte. Pique avec une fourchette.
- Dans un saladier, mélange les quatre œufs.
- Ajoute la crème, le lait, le poivre, le sel et la noix de muscade. Mélange.
- Ajoute les lardons.
- Verse ton mélange sur la pâte à tarte.
- Ajoute le gruyère.
- Et hop dans le four 35 minutes !

Bon appétit !

52 ACTIVITÉ 2, PAGE 51

- Qu'est-ce que vous mangez pour le goûter ?
- Antoine et moi, nous mangeons des fraises avec un peu de sucre.
- Et toi Aurélien ?
- Moi, je mange du pain avec beaucoup de chocolat et un grand verre de lait.
- Oh là, là ! Aurélien, ne mange pas trop de chocolat ! Tu veux être malade ?
- Mais c'est très bon ! Et au goûter, j'ai très faim et j'ai très soif.

53 ACTIVITÉ 1, PAGE 52

Aujourd'hui à la cantine, il y a du poisson pané avec de la salade. Il y a des crêpes au jambon. Il y a des spaghettis à la bolognaise, mais il n'y a pas de gruyère. Il y a aussi des escalopes de poulet avec du riz. Il n'y a pas de frites.

54 ACTIVITÉ 2, PAGE 52

1. Après les cours, à midi, je mange au collège. C'est sympa ! J'aime bien être avec mes amis, mais il y a beaucoup de bruit.
2. Le samedi après le cinéma, nous nous retrouvons et nous mangeons des hamburgers et des frites.
3. Dans ma famille, pour les anniversaires, nous mangeons au restaurant. C'est cool !
4. Le soir, je mange à la maison avec mes parents et ma sœur. Mon père adore préparer le repas.

55 ACTIVITÉ 1, PAGE 54

Madame Bardet, la cantine du collège ferme le jeudi 23 mars. Voici trois autres lieux pour déjeuner. Il y a la boulangerie devant le collège avec des sandwichs et des boissons. Les sandwichs coûtent 3,50 euros. Le snack « Le bahut » propose de la restauration rapide. C'est place Victor Hugo, devant le collège. Il y a un menu à 8 euros. Il y a aussi le café Jaurès, rue Jean Jaurès. Pour 12,50 euros, vous avez un menu avec entrée et plat ou plat et dessert.

56 ACTIVITÉ 2, PAGE 54

Salut Sarah, c'est Océane ! Il y a trois nouveaux garçons dans ma classe, Ethan, Noé et Gabriel. Ethan est brun et il a les yeux noirs. Il est cool. Noé est blond et il est grand. Il est gentil mais un peu timide. Mon préféré, c'est Gabriel. Il a les cheveux bruns et il a les yeux verts. C'est un sportif, il fait du tennis. Il est super !!!

Lexique

Unité 1

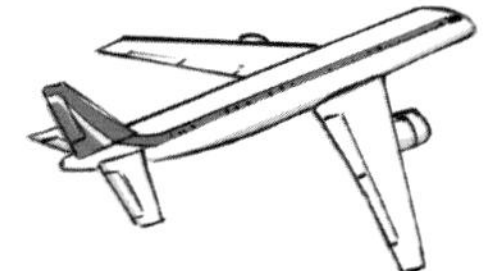
un avion

un bus

un métro

un taxi

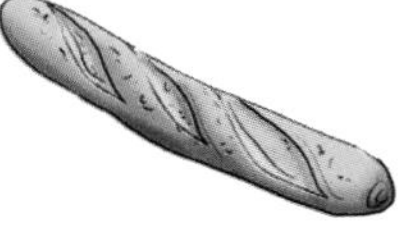
une baguette

un croissant

un café

un soda

un thé

un cinéma

une pharmacie

Unité 2

salut / bonjour

bonsoir

au revoir

ça va mal

bof

ça va bien

ça va super

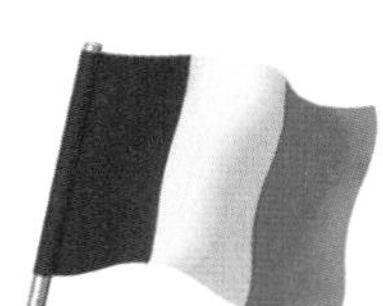
français(e)

américain(e)

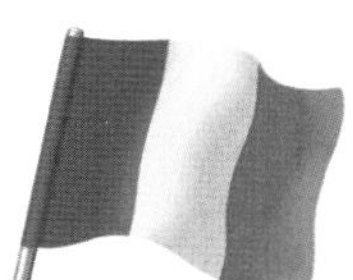
italien(e)

espagnol(e)

belge

Unité 3

un calendrier

un mois

une semaine

un nombre

une date

un anniversaire

un cadeau

une tablette

un jeu vidéo

une gomme

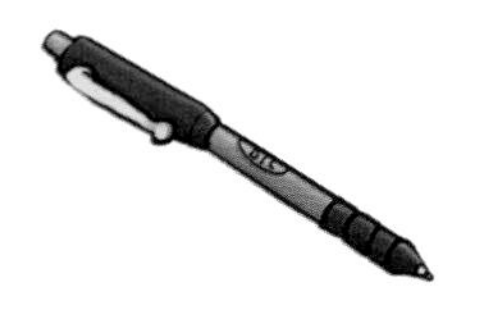
un stylo

une règle

Lexique

une trousse

un taille-crayon

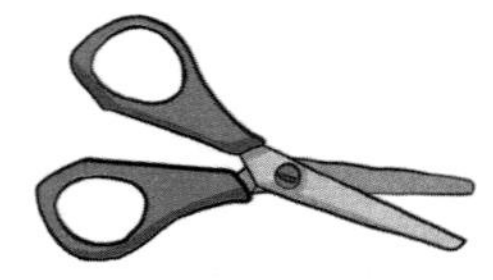
des ciseaux

un crayon

un crayon de couleur

un livre

un cahier

rouge

vert(e)

bleu(e)

jaune

violet(te)

orange

marron

gris(e)

noir(e)

blanc(he)

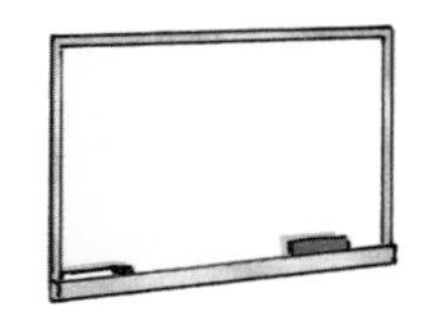
le tableau

Unité 4

un skateboard

un drone

un smartphone

un bijou

un bracelet

un manga

une clé USB

un lecteur MP4

la boucherie

la boulangerie

le coiffeur

la librairie

le marché

le supermarché

le marchand de légumes

la pâtisserie

le gâteau

la guirlande

le ballon

la fête

Lexique

Unité 5

le grand-père

la grand-mère

le père

la mère

le frère

la sœur

la tante

l'oncle

le cousin

la cousine

la tête

les cheveux

l'oreille

l'œil

le cou

l'épaule

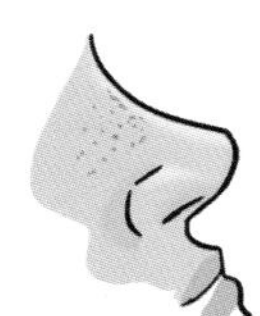
le nez

la bouche

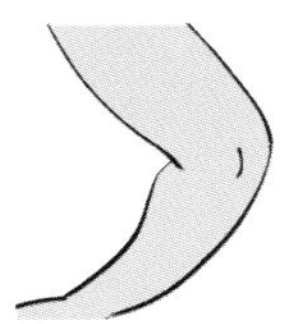
le coude

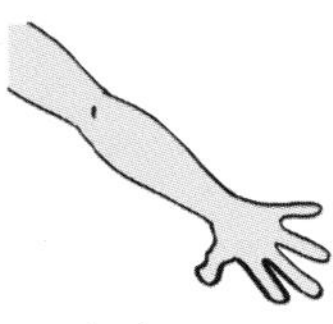
le bras

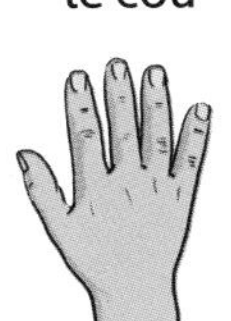
la main

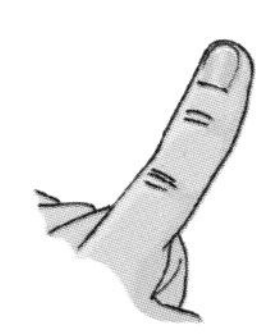
le doigt

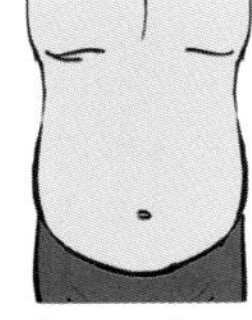
le ventre

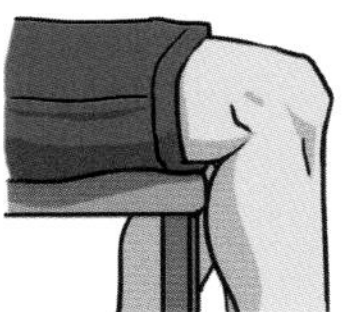
le genou

la jambe

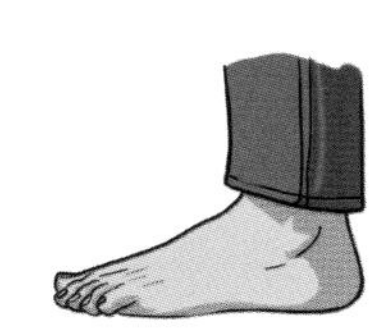
le pied

petit(e)

grand(e)

mince

blond(e)

brun(e)

fort(e)

laid(e)

le rugby

le football

la musique

un film

la lecture

un musée

intelligent(e)

patient(e)

décontracté(e)

amusant(e) / drôle

intéressant(e)

prudent(e)

dynamique

Lexique

sympathique

triste

timide

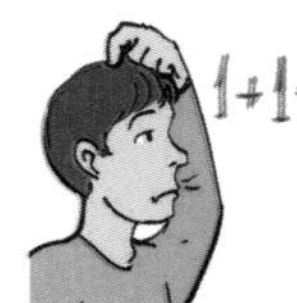

stupide

un poisson rouge

un chien

un chat

un hamster

une tortue

une perruche

une souris

Unité 6

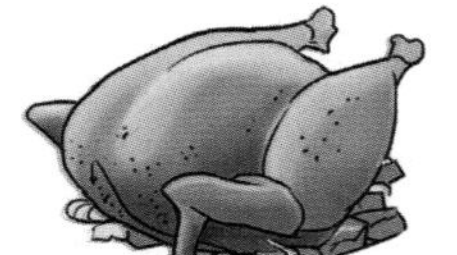

un poulet

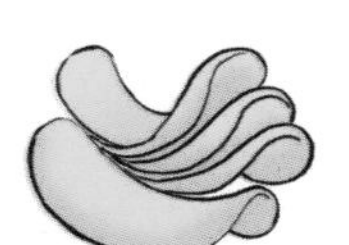
des chips

une banane

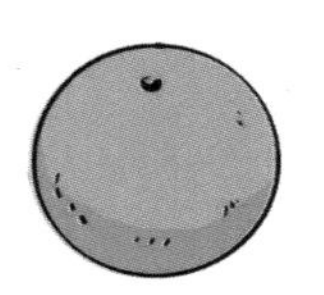
une orange

du raisin

une pomme

une fraise

un ananas

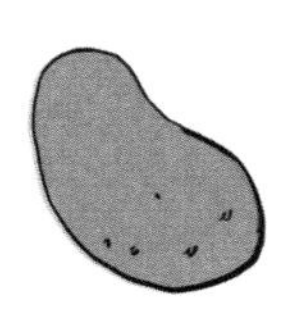
une pomme de terre

une salade

une tomate

un oignon

un poivron

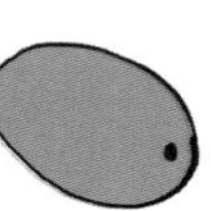
une olive

un champignon

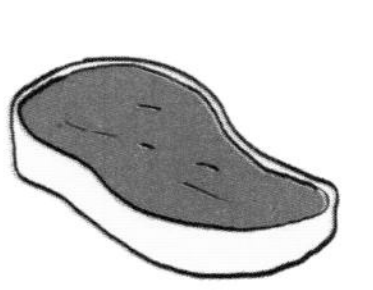
la viande

le jambon

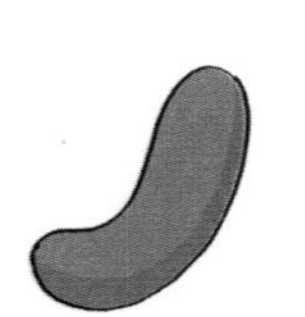
une saucisse

le bacon

une carotte

la sauce tomate

le poisson

les céréales

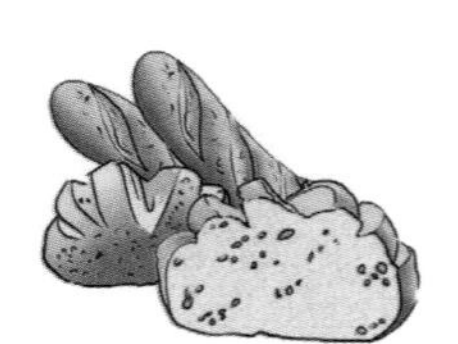
le pain

les pâtes

le riz

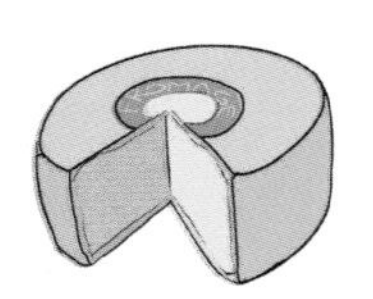
le fromage

un yaourt

le lait

une glace

Lexique

le jus d'orange

le petit déjeuner

le déjeuner

le goûter

le dîner

une pizza

un verre

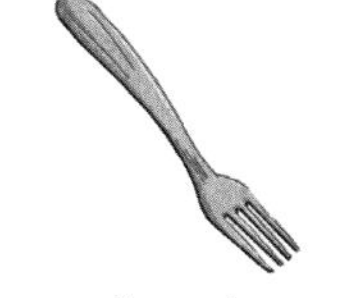
une fourchette

un couteau

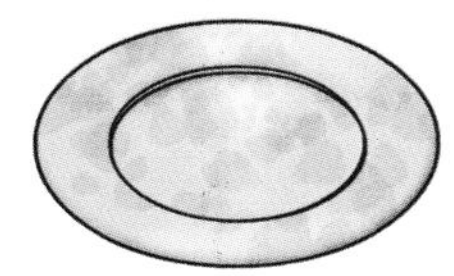
une assiette

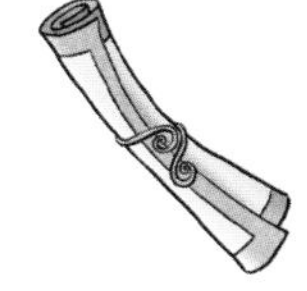
une serviette

une cuillère

une quiche lorraine

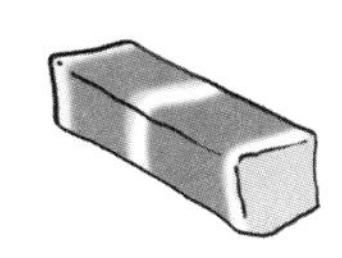
un lardon

un œuf

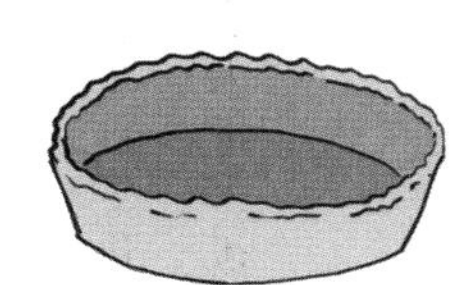
la pâte à tarte

la crème fraîche

le gruyère râpé

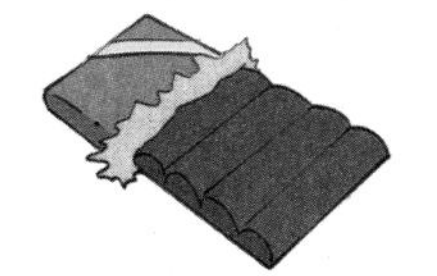
le chocolat

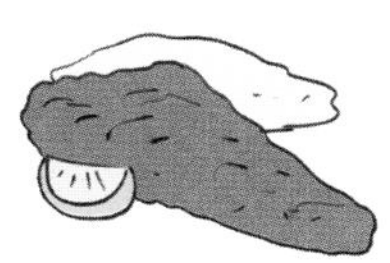
le poisson pané

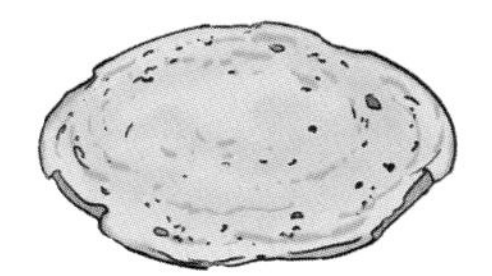
une crêpe

les spaghettis bolognaise

la cantine

le fast-food

le restaurant

Quelques verbes

écouter

écrire

lire

ouvrir (un livre)

regarder

parler

aimer

adorer

détester

acheter

préférer

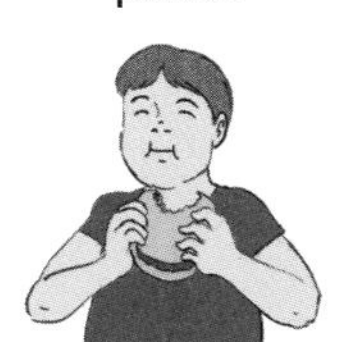
manger

LA FRANCE
N
O
E
S
MER
DU NORD
ROYAUME-UNI
Cardiff
Tamise
Londres
Southampton
Pas de Calais
PAYS-BAS
Amsterdam
ALLEMAGNE
MANCHE
Lille
Bruxelles
BELGIQUE
Cologne
Cherbourg
Liège
Îles Anglo-
Normandes
Rouen
Ardennes
NORMANDIE
Seine
LUXEMBOURG
Mont-Saint-Michel
Brest
Paris
Reims
Francfort
BRETAGNE
Rennes
ÎLE-DE-FRANCE
Vannes
Orléans
VOSGES
Belle-Île
Île de
Noirmoutier
Nantes
Loire
Tours
Strasbourg
Stuttgart
Rhin
Ballon de
Guebwiller
1424 m
Dijon
Île d'Yeu
Morvan
Île de Ré
La Rochelle
Poitiers
JURA
Zurich
Île d'Oléron
Berne
Crêt de
la Neige
1718
SUISSE
Limoges
AUVERGNE
Lyon
Genève
Mont Blanc
4807m
Puy de Sancy
1886 m
Vercors
Bordeaux
MASSIF
Grenoble
ALPES
OCÉAN
CENTRAL
Milan
ATLANTIQUE
AQUITAINE
Garonne
Rhône
Turin
ITALIE
Cévennes
Bilbao
Gênes
PYRÉNÉES
Toulouse
Montpellier
LANGUEDOC-
ROUSSILLON
Camargue
PROVENCE
MONACO
ESPAGNE
MER
Marseille
Estérel
Pic d'Aneto
3404 m
ANDORRE
Maures
Saragosse
MÉDITERRANÉE
Îles d' Hyères
GUADELOUPE
Pointe-
à-Pitre
MARTINIQUE
Fort-de-
France
LA RÉUNION
St- Denis
GUYANE
Cayenne
ST-PIERRE-ET-MIQUELON
Miquelon
St-Pierre
MAYOTTE
Dzaoudzi
NOUVELLE-CALÉDONIE
Noumea
POLYNÉSIE
Mooréa
Papeete
Tahiti
WALLIS ET FUTUNA
Wallis
Uvéa
Futuna
Monte
Cinto
2710 m
Corse
Ajaccio

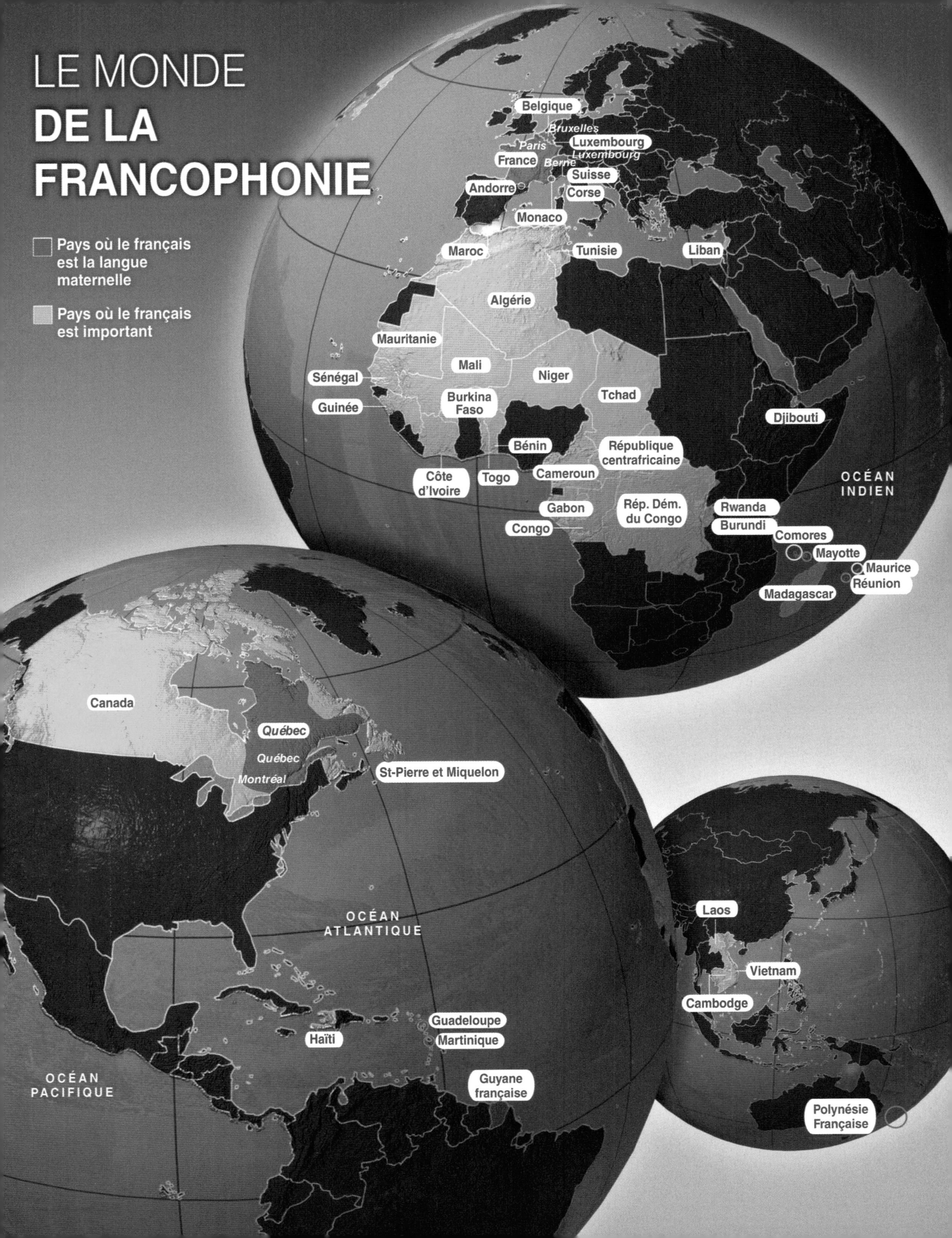
LE MONDE
DE LA
FRANCOPHONIE
Pays où le français est la langue maternelle
Pays où le français est important
Belgique
Bruxelles
Paris
Luxembourg
Luxembourg
France
Berne
Suisse
Andorre
Corse
Monaco
Maroc
Tunisie
Liban
Algérie
Mauritanie
Mali
Niger
Sénégal
Tchad
Burkina Faso
Guinée
Djibouti
Bénin
République centrafricaine
Côte d'Ivoire
Togo
Cameroun
OCÉAN INDIEN
Gabon
Rép. Dém. du Congo
Rwanda
Burundi
Congo
Comores
Mayotte
Maurice
Réunion
Madagascar
Canada
Québec
Québec
Montréal
St-Pierre et Miquelon
OCÉAN ATLANTIQUE
Laos
Vietnam
Cambodge
Guadeloupe
Haïti
Martinique
OCÉAN PACIFIQUE
Guyane française
Polynésie Française

Le DVD-ROM

Le DVD-Rom contient les ressources complémentaires (audio et vidéos) de votre méthode.

Vous pouvez l'utiliser :

• ***Sur votre ordinateur (PC ou Mac)***

Pour visionner la vidéo, écouter l'audio, extraire l'audio et le charger sur votre lecteur mp3 ou convertir les fichiers mp3 en fichier audio Windows Media Player (PC) ou AAC (Mac) et les graver sur un CD audio à usage strictement personnel..

• ***Sur votre lecteur DVD compatible DVD-Rom***

Pour visionner la vidéo et écouter l'audio.

Mode d'emploi et contenu du DVD-Rom

Pour afficher le contenu du DVD-Rom, il est nécessaire d'explorer le DVD à partir de l'icône du DVD. Après insertion du DVD-Rom dans votre ordinateur, celle-ci s'affiche dans le poste de travail (PC) ou sur le bureau (Mac).

– Sur PC : effectuez un clic droit sur l'icône du DVD et sélectionnez « Explorer » dans le menu contextuel.

– Sur Mac : cliquez sur l'icône du DVD.

Dans le cas où la lecture des fichiers vidéo ou audio démarre automatiquement sur votre machine, fermez la fenêtre de lecture puis procédez à l'opération décrite ci-dessus.

Le contenu du DVD-Rom est organisé de la manière suivante :

• un dossier LIVRE_ELEVE et un dossier CAHIER_ACTIVITES

Double-cliquez sur le dossier de votre choix pour accéder aux audio du livre de l'élève ou du cahier d'activités.

Afin de vous permettre d'identifier rapidement l'élément audio qui vous intéresse, les fichiers audio ont été nommés en faisant d'abord référence au numéro de piste indiqué sur le livre ou le cahier, ensuite à la page du manuel et à l'activité auxquelles le contenu audio se rapporte.

Exemple : 06_P9_activite1 → Le fichier audio correspond à la piste 6 se rapportant à l'activité 1, page 9.

• un dossier VIDEOS

Double-cliquez sur le dossier VIDEOS. Vous accédez à deux sous-dossiers : VO et VOST.
Double-cliquez sur le dossier correspondant aux contenus vidéo que vous souhaitez consulter (VO pour la version originale sans les sous-titres, VOST pour la version originale avec les sous-titres en français).

Les fichiers audio et vidéo contenus sur le DVD-Rom sont des fichiers compressés. En cas de problème de lecture avec le lecteur média habituel de votre ordinateur, installez VLC Media Player, le célèbre lecteur multimédia open source. Pour rappel, ce logiciel libre peut lire pratiquement tous les formats audio et vidéo sans avoir à télécharger quoi que ce soit d'autre.

→ Recherchez « télécharger VLC » avec votre moteur de recherche habituel, puis installez le programme.

Imprimé en Italie en septembre 2019 par «La Tipografica Varese Srl» Varese
Dépôt légal : juillet 2016 – N° de projet : 10259046